文春文庫

源太郎の初恋

御宿かわせみ23

平岩弓枝

文藝春秋

目次

源太郎の初恋

虹《にじ》のおもかげ

一

まだ夜が明け切らない中《うち》に、神林東吾《かみばやしとうご》は狸穴《まみあな》の方月館を出た。薄く霧のただよっている町はひっそりと眠っているようで足早に溜池の方角へ下りて行く東吾の他には人影もない。

方月館では、東吾が師範代をつとめていた時分から、年に四回、試合の会を催していた。

稽古に通って来る者が、どれほど力をつけたかを見るためのもので、五人抜き、十人抜きに勝った者には松浦方斎《まつうらほうさい》から御褒美が出される。試合は夕方に終るが、その後、年少組にはあんころ餅や黄粉《きなこ》餅が出るし、年長組には少々の酒と肴が供されて、殊に年長組は更けるまで東吾を囲んで談論風発、時には夜が明けてしまうことも珍しくなかった。

東吾は講武所の教授方に就任し、軍艦操練所にも参加するようになり、方月館に来られなくなってからも、年に四回のこの催しだけはやりくりして試合の審判をつとめ、模範試合をしたりと必ず狸穴にやって来る。昨日がその当日、夜は方月館へ泊って、今朝、まっすぐに講武所へ出勤する途中であった。

溜池のあたりでさわやかな朝になった。気がついてみると、降るような蟬の声である。池のほとりには、多くの樹木が立ち並んでいる。

木々の梢を見上げると、幹にへばりつくようにして、さまざまな蟬が傍若無人に鳴いている。子供の頃なら一匹も逃がしはしなかっただろうと内心、苦笑しながら歩いて行くと一本の樫の木の下に小さな子供がいて、しきりに幹へ手をのばしている。

少しばかり近づいて、東吾は口許が自然にゆるんだ。せい一杯、のび上って幹にしがみついている少年の指の先、三寸ばかり上に蟬のぬけがらがみえる。

「手伝おうか」

声をかけて、東吾は少年をひょいと抱き上げた。驚いた表情のまま、少年はしっかり蟬のぬけがらを摑む。

「ありがとうございました」

地面に下すと、はっきりとした声で礼をいった。嬉しそうに手の中の戦利品をみる。

「それは、蟬のぬけがらだ。知っているか」

東吾が訊くと、

「はい、柳河にいた時、母上に教えて頂きました」

きびきびした返事であった。
五、六歳だろうかと、東吾は少年を眺めた。
白絣《しろがすり》に木綿の袴をつけているところをみると、侍の子のようである。木の下に小さな蟬採り竿と虫籠がおいてあった。籠の中には一匹の蟬も入っていない。

「こんな朝早くに蟬採りに来たのか」

幼い日の自分をみているようで、東吾の声は更に優しくなった。

「朝早くなら、下のほうにいるときいたので……」

少年の目が口惜しそうに周囲を見廻した。

たしかに、蟬は高い所にとまっている。

「なまいきな蟬だな」

少年の手から竿を取り、指で黐《もち》の具合をたしかめた。

「借りるぞ」

断って、竿をひとひねりすると、ちちっと声がして、一匹の蟬が採れた。

「これは、オーシイツクと鳴く奴だ」

竿からはずし、東吾は蟬の羽についた黐を丹念に手拭の先で拭き取った。

「黐をちゃんと拭いてやらないと、すぐ死んでしまうんだ」

少年は目をみはって眺めている。

「今度は、みんみん蟬を採ろうか」

片手で少年を抱き上げ、竿を持たせた。

「よし、あそこだぞ」

最初は東吾に手を添えてもらって、少年は忽ち蟬採りのこつを憶えた。僅かの間に籠が蟬で一杯になる。

「このくらいにしておこう。あんまり採って帰ると、母上からつくだ煮にして食わせるといわれると困るからな」

東吾の言葉に少年は白い歯をみせて笑った。

「ありがとうございました」

子供にしては形のよいお辞儀をして、東吾が先刻下りてきた道のほうへ走って行く。

小さな後姿を暫く見送って、東吾は赤坂見附へ向った。

どういうわけか、その日の東吾は講武所で稽古をつけていても、蟬採りを手伝った少年のことが心のどこかにこびりついて離れなかった。

稽古を終えて八丁堀まで帰って来ると、畝源三郎《うねげんざぶろう》に出会った。

「これから、吉田どのの屋敷へ通夜の手伝いに参るのです」

という。

源三郎が吉田どのといったのは、定廻《じょうまわ》り同心の吉田又蔵のことで、三日ほど前、浅草奥山の近くで雑踏の中で男にいきなり腹を刺された。

白昼のことで、傍についていた若党も一緒に少々遅れて歩いていた岡っ引の貞次郎も、頬かむりをした男がふらふらと吉田又蔵に近づいたのは見ていたが、酔っぱらいかと思い、又蔵にぶつかった男が、再びふらふらと人ごみにまぎれ込んで行くのを、

「まっ昼間から、酒っくらいが……」

と見送って居り、そのあとで又蔵が人に倒れかかるように前のめりになったのも、てっきり転んだと思った。で、

「旦那、どうなさいました」

と近づいて抱き起してから仰天した。

又蔵の脇腹に出刃庖丁が柄元まで深か深かと突っ込んであったからである。

近くの番屋へ運び、医者を呼んだが、出刃庖丁をひき抜くのだけでも容易ではなく、手当をして八丁堀の屋敷へ舟で戻ったものの、重態であるとまでは、東吾も聞いて知っていた。

「では、やはり、いけなかったのか」

東吾が眉をひそめ、源三郎が沈痛にうなずいた。

「つい一刻ばかり前に、奉行所へ知らせが入りました」

定廻りの旦那が往来で刺殺されるというのは滅多にあることでもなく、奉行所の中も

落ちつかない雰囲気だったと源三郎はいった。

「俺も、あとから線香をあげに行くよ」

吉田又蔵とは格別、親しい間柄ではなかったが、どちらかというと定廻り同心の中でも如才がなく、まめな人柄で、なにかにつけて神林家の兄のところへ顔出しをしていた。で、東吾も会えば挨拶もするし、世間話の相手にもなった。

「かわせみ」へ帰ると、待っていたように吉田又蔵の話になった。

「とうとう駄目だったと、今しがた出入りの酒屋が教えてくれたんでございますよ。まあ、御運がないっていえばそれまでですけど」

お吉《きち》がいい、嘉助《かすけ》は、

「あちら様は、たしかお嬢様がお二人で、まだ御養子も決っていなかったと思いますが」

と跡継ぎの心配をしている。

「吉田どのは、いくつだったんだ」

居間で着替えをしながら東吾が訊き、

「さっき長助《ちょうすけ》親分が来た時にお吉が訊きましたら、五十一におなりだったとか……」

るいが答えた。

「娘はいくつなんだ」

「上のおきみ様が十五、下のおつる様が十三だとか」

「随分、遅い子持ちだな」

三十のなかばを過ぎて父親になったことになる。

「御存じじゃございませんでしたの。吉田様の昨年歿《なくな》られた御新造様は二度目でいらっしゃって、その前に……」

「思い出した。兄上の所でそんな話を聞いたことがあったよ」

最初の女房と、当時、健在だった文蔵の母とが折り合いが悪く、結局、離縁となった。

「やかまし屋のお袋が歿ってから、二度目の内儀《かみ》さんをもらったんだったな」

なんにしても、町奉行所につとめる与力、同心は表むきは一代抱えとなっているが、実際は完全な世襲であった。親が或る程度の年齢になると、跡継ぎの悴《せがれ》が見習として採用され、適当な時期に親のほうが隠居届を出す。

「吉田どのの場合、事情が事情だから、上のほうもそれなりの御配慮があるだろう」

表むき、当主の死を伏せておいて、養子を迎え、家督相続がすんでから当主が死んだことにするというのは、武士の社会には、ままあることでもあった。

「長助親分がいってましたよ。この節、浅草の奥山あたりはけっこう物騒だっていうのに、お供についてた連中は、あんまりのんきすぎたって……」

咄嗟《とっさ》のこととはいえ、主人を刺して逃げた下手人の人相も年頃も、どうも今一つはっきり記憶していない。

「第一、主人が殺《や》られたって気がついたら、一人は介抱に残って、一人が下手人のあとを追いかけなけりゃいけませんのに、二人ともまごまごしていたっていうんですから……」

この節の岡っ引はだらしがないと、お吉は憤慨している。

「吉田の旦那は、岡場所の取締りをきびしくなさっていたそうですから、ああいう所は命知らずのごろつきなんぞを飼っていて、いざとなると手ひどい報復をするなんてことを申します。吉田の旦那はそういう連中の怨みを買っていたんじゃありませんかね」

たしかに江戸の治安はこのところ悪くなる一方であった。

幕府の財政が逼迫して居り、幕閣の中心に人材が乏しく、諸大名におさえがきかなくなっている。外国からは次々と通商を求める船が来航し、幕府はその対応に苦慮し、内政に手がまわりかねる有様であった。

町奉行所の中だけをみても、長い泰平に慣れて武術不鍛錬の侍が決して少くない。如何に油断していたとはいえ、町廻りの途中で同心が刺殺されるという出来事が、それを象徴しているようでもあった。

「お吉が歯がゆがるのももっともだが、あまりいうな。吉田どのの御家族にしてみたら、泣くにも泣けない気持だろう」

東吾の言葉でお吉はしゅんとなり、るいは簞笥を開けて通夜のための紋服を取り出した。

二

吉田又蔵の通夜に行く前に、東吾は八丁堀の兄の屋敷へ寄ってみた。おそらく、兄も弔問に出かけるのではないかと思ったからであり、もしも、兄が都合で行けなければ、兄嫁が代理をつとめる筈で、その場合は自分が供をして行ったほうがよかろうと考えた故でもあった。

兄の通之進《みちのしん》は紋服に数珠を手にした恰好で居間にいた。

「多分、東吾様がお寄りになるだろうとおっしゃってお待ちになっていたのですよ」

兄嫁の香苗《かなえ》にいわれて東吾は苦笑した。どうも以心伝心というか、兄には弟の気持を見通すようなところがある。

「遅くなりまして、申しわけありません」

敷居ぎわに手を突くと、

「なに、こっちも今、支度が出来たばかりだ」

颯爽と立ち上った。

で、久しぶりに兄弟揃って八丁堀の町を行くと、やはり吉田家へ行く人々が、

「これは、お揃いで……」

と声をかけて来る。

八丁堀の組屋敷で、同心は百坪、与力は三百坪の宅地をお上から頂戴しているのだが、

敷地の広いのをよいことに、その一部を医者なぞに貸している者もある。

だが、吉田家はそんなこともなく、建物はゆったりとして奥行きがある。

「わざわざのお運び、おそれ入ります」

などという挨拶に囲まれて通之進が敷台に上り、東吾がそれに続いた。

三部屋ばかりを、間の襖を取り払って、正面に遺体が安置され、経机に供え物がのせられている。

喪主は十五と十三の姉妹だが、脇に親類縁者が並び、弔問客へ丁重に礼を述べている。

東吾は兄よりも一足先に若い女が五、六歳と思われる少年を伴って焼香をしているのを眺めていた。別になんということではなく、年頃が今朝、蟬採りを手伝った少年と同じくらいだったせいである。

女が焼香をすませるのを待っていたように、二人の侍が吉田家の一族のほうへ行って低い声で何かを告げている。

通之進が東吾をふりむき、東吾も異変に気がついた。

吉田家の姉妹も、親類もひどく取り乱していた。

「そんな馬鹿な……」

とか、

「冗談ではない。突然、そのようなことをいわれても……」

といった声が次第に高くなり、経をよんでいた坊さんが驚いてふりむいた。

次の間にいた同心仲間が慌てて走り寄り、双方の話を聞いている。その中の一人が困惑した顔で通之進のところへ来た。

「申しわけございません。どうも奇妙なことになりまして……」

あそこにいる少年が歿った吉田又蔵の忘れ形見だと名乗って来たのだという。

「母親は、御家人の井上多七郎どのの姉とかで、多七郎どのとその叔父御がついて来て居ります」

吉田家の親族と話をしているのは、その多七郎と叔父らしい。

がやがやとさわぎは更に大きくなった。

「東吾……」

兄が目くばせし、東吾は兄から渡された香奠《こうでん》の包を経机の上へおき、戻ってきて遠くから兄と共に遺骸へ合掌し、そそくさと座敷を抜け出した。

「驚きましたね」

外へ出てから、東吾が低声《こごえ》でいった。

「お通夜の席に、かくし子が出て来たわけですか」

よくあることかも知れないが、目のあたりにするのは初めてであった。

「明日の野辺送りはどうなりますか」

「其方《そち》も気をつけよ」

通之進が笑い、

「手前は、それほど行儀悪くはありません」

反射的に答えた東吾だが、胸の奥にひっかかるものがある。

そんな弟を通之進はさりげなく眺めていた。

兄を屋敷へ送り、「かわせみ」へ戻って来て、るいとお吉にざっと話をすると、二人とも目を丸くして驚いた。

「吉田様は五十一でございましょう。五、六歳の坊っちゃまと申しましたら、四十なかばのお子じゃございませんか。よく、そんなお年で……」

とお吉がいい、

「男はいくつになっても畑がよけりゃあ子が出来るっていうじゃないか」

うっかり東吾が失言して、

「どうせ、私は畑が悪うございます」

るいが泣きそうな目をした。

「すまぬ、悪い冗談だ。そんなつもりでいったんじゃない」

慌てて東吾が弁解し、吉田家のかくし子事件はそれっきりになった。

翌朝、畝源三郎が「かわせみ」へやって来た。

吉田家の通夜は滅茶苦茶になったという。

「とりあえず、今日の野辺送りは身内だけということになりましたので、お知らせに来ました」

つまり、昨夜中に決着がつかなかったわけだ。

「相手が芸者のようなものであればまだしも、御家人の姉さんというので、吉田家も弱っています。そればかりか、どうも吉田どのはおくめどのを後添えにするつもりで、その約束までなさっているのです」

おくめというのが井上多七郎の姉で、吉田又蔵との間になした少年は昌之助といい、五歳であった。

つまり、吉田又蔵にまだ女房がいる間から深い仲になり、たまたま、昨年、女房が病死したので、折をみて後添えに直すといわれていたらしい。

「吉田どのは、四十をすぎて男の子が出来たので、大層、喜ばれたようですな。先祖伝来の相州物の脇差を親子のかためとして井上家へ渡しているのですから……」

「しかし、おいそれと子供を家に入れるわけにも行くまい。第一、五つじゃ見習にも出せねえや」

「吉田家のほうでは御親類が、井上家を頭からはねつけていますよ。家督はあくまでも総領娘のおきみどのに聟《むこ》を取って継がせるとのことで、もう、その相手も決っているそうです」

同心の株が金で売買される時代であった。

不浄役人といわれながら、奉行所の役人は実際の扶持よりも実入りがよいのは常識となっている。

「厄介なことになりそうだな」

「我々も心配はしているのですが……」

他人の家庭の事情に口出しするわけにも行かない。

五日が過ぎたが、相変らず吉田家の揉め事は埒《らち》があかないようであった。

その日、「かわせみ」に畝源三郎が一人の若者を伴って来た。

麻の紋服に袴をつけ、大小を帯びているが侍というには、どこか様子が違う。

東吾はちょうど軍艦操練所から帰ったばかりで、まだ着替えもしていなかった。

「こちらは大木広太郎どのといわれまして」

吉田又蔵の先妻の子だといわれて、東吾はあっけにとられたが、るいは憶えていた。

「吉田様のお宅と、私の家とはすぐ近くでございましたから……たしか、お母様はお静様とおっしゃいませんでしたか」

大木広太郎が膝をのり出し、目を輝かせた。

「母を御存じでしたか」

「はい、お達者でいらっしゃいましょうね」

「今年四十五になりましたが、息災です」

「それは、おなつかしゅうございます」

るいの言葉で、広太郎の緊張が少しとけたのを見て、源三郎が話し出した。

「広太郎どのが二つの時に、母上は吉田家を離縁になり、八王子の実家へ戻られ、翌年、望まれて大木家へ再縁されたそうです」

大木家は八王子同心の家柄であるという。

八王子同心は正しくは八王子千人同心といい、他に八王子千人組、長柄同心、八王子千本槍衆などの呼び名がある。

もともとは、武田信玄以来の武田家の武士で、武田家滅亡のあと、徳川幕府が武田家の遺臣を集めて八王子やその近辺に土着させ、甲州口の備えにしたものであった。

微禄ながら扶持を受け、平素はその土地を耕作しているが、身分的には武士で、交替で日光東照宮の火の番をつとめていた。

千人を十組百人に分けて組織されているが、大木家はその組頭の家だという。

「大木家の父は一昨年、他界しましたが、立派な人物で、手前も実子同様に育てられましたし、大木の姓を名乗らせてくれました」

気をとり直したように、広太郎がいった。

「ですが、三日前に、吉田の父が歿りましたことを、母の実家から知らせて参りました。どうしたものかと思案したのですが、母は、父は父であるから、子として別れを告げて来るようにと申しまして、手前も決心して出て参りました」

ただ、突然、吉田家へ弔問に行くのも具合が悪いので、母の指示通り、まず、畝源三郎をたよって訪ねて来たものだ。

「吉田どのは、見習の頃、手前の亡父がなにかとお教えしたようです」

とにかく、吉田家のほうとも話をしなければならないが、源三郎はこれから佐々木仁蔵のところへ行って来るといった。

佐々木仁蔵は歿った吉田又蔵の弟に当り、佐々木家へ養子に入って、やはり奉行所で同心を勤めている。又蔵の二人の娘の後見役といった立場でもあるので、誰に相談するより手っとり早い。

「実は、広太郎どのに、手前の屋敷で待っていてもらおうと存じたのですが、なまじ、八丁堀の中では広太郎どのが落ちつかれないのではないかと思い……」

るいがすぐに応じた。

「どうぞ、私共でおくつろぎ下さい。昔の御縁ですもの、せい一杯、お世話をさせて頂きます」

それで話がきまり、源三郎は早速「かわせみ」を出かけて行った。

るいが広太郎を案内したのは、「かわせみ」の二階の奥で、部屋からは大川が見渡せる。

「八王子からでしたら、さぞお疲れでしょう。もうすぐお風呂の支度も出来ますので……」

お吉が茶菓子を運び、るいはあとをまかせて階下へ戻って来た。

東吾はまだ帳場にいて、嘉助と話をしていたが、

「るいは、吉田家の先妻のことを、どのくらい憶えているんだ」

と訊く。

「私も、まだ八ツか九ツか、でも母が死んで、いっぱし家のきりもりをしているつもりでしたから、生意気に御近所づき合いの真似事をして……広太郎さんのお母様はおきれいな方でしたけど、いつも心細そうで、よくかくれて泣いていらっしゃったのを憶えています」

るいの言葉を嘉助がひき取った。

「あちらは八王子から嫁いで来られたんで、江戸にはこれといって知り合いもなかったと思います」

その当時、嘉助が聞いた限りでは、

「吉田様の大奥様は御自分の遠縁の娘を倅さんの嫁にしようと考えていなすった。ところが、又蔵旦那がお上の御用で八王子へお出かけになった折に、お静さんの実家を宿になすったとかで、半月ばかりも滞在してなさる中に、お静さんといい仲になり、夫婦約束も出来ちまったそうでございます」

又蔵が江戸へ帰って二カ月目にお静が家出をして八丁堀の吉田家を訪ねて来た。

「つまり、その時はもうお腹の中に広太郎さんが出来ていたんで……まあ、すったもんだはあったようですが、仲に立つ御方があって、正式にお静さんが御新造におさまったんだと思います」

最初からそうしたいざこざがあったせいで、嫁姑の間柄は、どうにもすっきりしなくて、それが夫婦別れの原因にもなったのだと嘉助は流石《さすが》によく知っていた。

「たしか、お静さんが吉田様を去って二、三年でお姑さんが歿られたんで、もう少々の辛抱をしていればなんぞと無責任なことを申していた連中もございましたよ」

東吾が眉間に軽く皺を寄せた。

「俺は心配しているんだ」

単純に父親の弔いに来ただけならよいが、

「あいつは、吉田家の総領になるわけだろうが……」

母親は吉田家を離別されたが、子は、まぎれもなく吉田家の嫡男であった。

「筋を通そうという奴が出て来ると厄介に巻き込まれる」

三

東吾の危惧が適中したのは、その夜、源三郎が「かわせみ」へ佐々木仁蔵を伴って来てからであった。

佐々木仁蔵は東吾に挨拶してから、二階へ行って、かなり長いこと広太郎と話し合っているようであった。

「佐々木どのは、この際、広太郎どのに吉田家を継がせるべきだと強くおっしゃるのですよ」

居間で、源三郎が打ちあけた。

「八王子で千人組頭とはいっても、いわば郷士、百姓同然の暮しをするよりも、親の職を継いでお上に御奉公するほうが、どれほどよいかといわれるのですが……」

東吾が苦笑した。

「そいつは人それぞれだと思うがなあ」

「その通りです。果して広太郎どのがどう考えますか」

「あいつが跡を取るとなると、義理の妹達はどうなる」

「佐々木どのは、各々、嫁入りさせればよいと……」

「通夜に出て来たかくし子は……」

「論外だとおっしゃっています。どっちにしても、広太郎どのは嫡男だと……」

「そりゃあそうだが……」

嫡男の登場で、どちらも素直に納得するものかどうか。

だが、間もなく佐々木仁蔵が二階から下りて来た。

「広太郎も手前の申すこと承知してくれました。明日は菩提寺へ墓参に連れて参ろうと存じますので……」

今夜から自分の屋敷へ泊めるという。一足あとから広太郎が下りて来た。東吾とるいをみると何かいいたそうな顔をしたが、そのまま、両手をついて丁寧に挨拶し、佐々木仁蔵と共に「かわせみ」を出て行った。

「どうも、叔父さんが甥を連れて行くというのを、おいて行けともいえやしねえなあ」

東吾が投げ出すようにいい、源三郎が途方に暮れた表情になった。

「よくないことが起らねばよいのですが」

吉田家の事情は、今までよりも、もっと悪くなる可能性がある。

「広太郎さんのお母様はどうお考えだったのでしょう」

広太郎がいったように、ただ血を分けた父親の霊前に香をたむけて来いというものか、それとも、吉田家の総領はこの子だからと、改めて吉田家に挑戦する心算《つもり》があったのか。

「女の気持はわからねえが……あいつ自身はなんと思って江戸へ出てきたのか……」

せめて、それだけでも訊いておけばよかったと東吾はいったが、当人が叔父さんについて行ってしまった今となっては、どうすることも出来ない。

「なにしろ、俺の甥っ子ってわけじゃねえんだからなあ」

東吾の冗談で、重くなっていた「かわせみ」の空気が僅かながら明るさを取り戻した。

三日ほどして町廻りの帰りだといい、畝源三郎が「かわせみ」に立ち寄った。

吉田家は蜂の巣を突ついたような騒ぎになっているらしい。

佐々木仁蔵が広太郎を推しているのに対して、歿った吉田又蔵の妻で、おきみ、おつる姉妹の母に当るお才の実家の佐久間家が猛反対し、なにがなんでも、おきみの聟に家督を継がせると息巻いている。

「かくし子のほうはどうなった」

「あちらも、井上多七郎どのが何度も吉田家を訪ねて申し入れをしているそうですが、誰も相手にせず、門前払い同様だと聞いています」

井上多七郎というのは、まことに貧乏御家人を絵に描いたようで、十年先の扶持米まで札差に借金のかたとして押えられて居り、姉のおくめが縫い物をして僅かな手間賃を稼いだり、傘張りをしたりして暮している状態であってみれば、吉田又蔵が、おくめを後添えにしてくれるという約束を大いに期待していたもので、

「それを今更という気持だと思いますよ」

源三郎がそれとなく調べたところによると、おくめが吉田家の後妻になるということでこれまで相手にしてもらえなかった蔵前の札差からも、新しい借金をすることが出来たり、いろいろと融通してもらったりしていたのが、吉田又蔵が非業の死を遂げたことで立ち往生という恰好らしい。

「もしも、昌之助どのを吉田家が認めないとなると、えらいことになりますよ」

おくめは不義密通のあげく私生児を産んだことになり、井上家の面目は丸潰れになる。

「井上多七郎というのは、平素は大人しいが、かっとなるとなにをしでかすかわからないところがあり、以前にも、蔵前で口論となり、抜刀したことがあるそうです」

幸い、その時は居合せた者が刀を叩き落し、多七郎を追い払ったので、怪我人は出なかったが、一つ間違えば血の雨が降る。

畝源三郎の妻のお千絵《ちえ》の実家も蔵前では名の知れた札差の家で、お千絵の父親は、借金に追いつめられ乱心した侍をとめようとして逆に殺害されたという苦い過去があるだ

けに、源三郎はしきりに井上多七郎のことを案じていた。

その朝、東吾が八丁堀の兄の屋敷へ行ったのは、「かわせみ」に出入りの魚屋が、今朝、玉川で釣ったばかりの鮎を届けて来たからで、

「なにはさておいても、兄上様にと……」

るいに勧められてのことであった。

が、玄関を入ると、出迎えた用人が、

「只今、御来客でございます」

という。

「誰だ」

こんな朝っぱらからという思いで訊くと、

「麻生宗太郎《あそうそうたろう》様で……」

「あいつなら、かまわないよ」

取り次ごうとする用人を制して東吾はさっさと居間へ向った。まず、水桶に入った見事な鮎を兄にみせようと思う。

東吾の足音を聞きつけたのか、奥から兄嫁の香苗が出て来た。

「これを届けに来たのですよ」

鮎の桶をみせて、

「宗太郎が来ているそうですが、兄上のお加減が悪いのではありますまいね」

いささか心配顔で訊いた。

「そうではございませんの。なにか難しいお話があるとかで、私も御遠慮して居りますのですけれど……」

「あいつらしくありませんね。兄上は御出仕の時刻でしょう」

「でも、今月は月番ではありませんから……」

江戸町奉行は北と南の二つがあって、毎月交替制になっている。

月番でない時には奉行所の門が閉じられているが、役人達は御用部屋に詰めていて、前の月にさばき切れなかった訴状や吟味書などを片付けているが、月番の時よりも遥かに融通がついた。仕事によっては役宅へ持ち帰ってもかまわないし、出仕や退出の時刻もおおまかになっている。

香苗が月番ではないのでといったのは、そのことであった。

「あいつの話に、義姉《あね》上が御遠慮なさることはありませんよ。こんな早朝から押しかけて来たところをみると、大方、夫婦喧嘩じゃありませんか」

「それなら、よろしいのですけれど……」

廊下で立ち話をしていると、居間から宗太郎が出て来た。

「ほう、これは見事な鮎ですね。次にいいのが入ったら、是非、麻生家へもおすそわけを願います。なにしろ、義父《ちち》上も七重《ななえ》も、勿論、手前も鮎は大好物ですから……」

いつものようにとぼけたことをいって、さっさと玄関へ出て行く。香苗が慌ててその後を追って行くのを眺めて、東吾は居間に入った。

通之進は脇息《きょうそく》にもたれるようにして何か考えている様子だったが、東吾へ向けたまなざしは、いつもの穏やかなものであった。

「鮎か」

重かったであろう、と弟をねぎらった。

「玉川だそうです」

「では、今日は早く退出して参ろう。たまには東吾もここで飯を食わぬか」

「かわせみ」に届いたありったけを運んで来たと知っている兄の言葉に、東吾は笑った。

「遠慮なく、御相伴に来るつもりでした」

立ち上って居間を出る兄について行った。

「宗太郎は、なにしに来たのです」

「たいしたことではない。麻生の義父上の頼み事を伝言に参ったのだ」

「夫婦喧嘩ではなかったのですか」

陽気な弟の声を背に、通之進が出仕し、東吾は鮎を台所へ運んだ。

女中に井戸水を汲ませ、鮎は塩焼が一番だの、兄上は味噌田楽がお好きだからなぞと、兄嫁と話していると、用人が、

「畝源三郎どのが参りました」

といって来た。

「驚いたなあ。いくら八丁堀は御出仕が遅いといったって、あの律義者が、まだ、この辺りをうろうろしているとは……」

冗談をいいながら、用人と玄関へ出てみると、

「井上多七郎が、二人を殺害しました」

斬られたのは佐々木仁蔵と佐久間家の当主の秀三郎だという。二人とも、八丁堀の住人、つまり町奉行所の役人である。

「いつなんだ」

源三郎について門を出ながら訊いた。

「つい半刻ばかり前のようです」

「多七郎はどうしている」

「佐久間家の隣に住む、高島寛右衛門どのがさわぎをきいてかけつけられたところ、神妙にしているとか」

高島寛右衛門は与力だが、もう六十に近い老齢であった。

「もし、神林どのが御出仕前なら、来て頂くようにとのことで、手前の屋敷に使がありました」

高島寛右衛門にしても、処置に迷ったというところだろうと源三郎はいった。

「迷うことはないだろう」

役人を二人も殺害しているのであった。相手が御家人であれば、手続きをふんで目付

へひき渡すことになる。

「それはそうですが、高島どのにしてみれば、町方役人の相続争いが表沙汰になるのを心配されたのでしょう」

道のむこうから畝源三郎の家の若党が走って来た。

「一大事でございます」

井上多七郎が吉田家へ逃げ込み、姉娘のおきみを人質にしているという。

「高島どのが取り押えられたのではなかったのか」

「高島様も薄手ながら、怪我をされたようで……」

神妙にするとみせかけて、急に高島寛右衛門に襲いかかったということらしい。

吉田家の前は、かけつけて来た八丁堀の人々であふれかえっていた。

東吾はその中に大木広太郎の姿をみつけて近づいた。

「あんた、佐々木どのの屋敷にいたんじゃなかったのか」

広太郎が青ざめた顔をふりむけた。

「左様です」

「井上多七郎は佐々木家へ乗り込んで来て、仁蔵どのを斬ったのか」

「叔父上は、湯屋へ出かけられたのです」

「なに……」

「湯屋からのお帰りを襲われたようだと聞きました」

八丁堀に住む町方役人は奉行所への出仕の時刻が遅いので、朝湯を習慣にしている者が少くなかった。本来、武士は必ず大小を腰にして外出するものだが、住居と目と鼻の先の湯屋ではあり、組屋敷の地域内という安心もあって、無腰で出かけることが多いのが実情であった。

「佐々木どのは、腰の物を……」

そっと源三郎がいい、広太郎がかぶりを振った。

刀を持っていなかったとなると、井上多七郎に対し防戦のしようがなかった筈だ。

あとでわかったことだったが、もう一人の佐久間秀三郎も佐々木仁蔵とは別の湯屋へ出かける途中を襲われたもので、こちらは脇差だけは帯びていたが、抜き合せる間もなく袈裟斬りに遭っている。

吉田家の屋敷の中で、激しい物音が起った。

東吾達が来た時、すでに、裏口や塀をのり越えて、何人かが屋敷内に潜入して居り、その連中が様子をうかがって井上多七郎に襲いかかったようであった。

「まずいな」

低く、東吾がいい、

「人質が居りますのに……」

源三郎が唖然として呟いた時、表門から井上多七郎がとび出して来た。あっという間にそのあたりにいた侍達が抜刀し、制止する暇もない中《うち》に膾《なます》のように斬り立てられた。

るいが気付け薬や水やらを運んで、介抱しているところへ、畝源三郎が茫然とした表情で入って来た。

吉田家では、人質となっていたおきみばかりか、おつるも多七郎によって斬殺されていたらしい。

「滅茶苦茶だな」

東吾が吐き出すようにいい、源三郎がうなだれた。

「如何に混乱したにせよ、秩序がなさすぎました。仮にも町方役人が、です」

おそらく、井上多七郎は姉とその子のために吉田家へ何度もかけ合いに来ていて、佐々木仁蔵や佐久間秀三郎が朝湯に行く習慣や、その折は無腰に近い状態だということを知ったに違いないと源三郎はいった。

「不浄役人に、貧乏御家人とあなどられたと井上多七郎は立腹したのかも知れません」

斬殺された佐々木仁蔵や佐久間秀三郎が、井上多七郎に対して、木で鼻をくくったような応対をしたことは、源三郎の耳にも入っていた。

「江戸へ出て参らねばようございました。手前が出て来なければ……叔父上は……」

大木広太郎が両手を握りしめ、大粒の涙を膝にこぼした。

四

殆《ほとん》ど失心しそうになっている大木広太郎を、東吾は「かわせみ」まで背負って来た。

八丁堀の事件は結局、表沙汰にならなかった。

公けになれば、同心が無腰で朝湯に出かける習慣も、御家人の娘に子を産ませたことやら、家督相続で紛争していた不始末やらが、世間へ洩れる。町奉行所としても具合が悪いし、江戸の治安を守る町方役人にそうした不祥事があったというのでは、庶民へのしめしがつかないと考えた為政者の判断であった。

その結果、どこにも傷をつけないようにと配慮されて、吉田家はおきみの聟になる筈だった男を急遽、養子にして家督相続させ、いずれ、然るべき所から嫁を迎えるようにということになり、その代り、吉田家からはかなりまとまった金が井上家へ支払われた。

井上家の跡は、さきざき昌之助が成長したら相続が許されると決ったし、佐々木家、佐久間家は各々、嫡男が亡父の跡を継いだ。

すべてに決着がついた朝に、まるで夕立のような大雨が降った。その雨が上りかけた頃、「かわせみ」へ大木広太郎が礼に来た。旅姿である。

「これから、本所の菩提寺へ参り、亡父の墓に詣でてから、八王子へ帰ります」

二度と江戸へ出て来るつもりもなく、吉田家との縁も忘れ切るといった。

「こちら様には、大層、お世話になりまして、御礼の申しようもありません」

どこかしょんぼりしている広太郎をみて、東吾は性分で捨てておけない気持になった。

「今日は久しぶりに俺も一日、非番なんだ。本所の麻生家へ行って、花世《はなよ》を連れて来るついでに、あんたを送って行こう」

肩を並べて永代橋を渡った。

吉田家の菩提寺は大川沿いで、小名木川《おなぎがわ》に架る万年橋の手前の霊雲院だという。

「それなら、麻生の屋敷へ行く通り道だよ」

大川に沿って佐賀町を抜け、仙台堀を越えると右手に霊雲院の門がみえる。

「吉田どのは、俺も満更、知らない仲じゃない。通夜には行ったが、かくし子騒動でおちおち焼香も出来なかったんだ」

広太郎について、寺の裏手の墓地へ行った。

広太郎は方丈で線香に火をつけてもらい、待っていた東吾と共に、墓地に入る。

朝の中《うち》のことで、墓地には人影もない。

墓前に線香を供え、広太郎も東吾も合掌した。

やがて立ち上った広太郎の表情はさっぱりしていた。

「この前、ここへ参りました時は、佐々木の叔父と一緒で、父の霊前に必ず吉田家を継ぎますと誓わされました。今は改めて父にそれは間違いだったと詫びました」

死んだ叔父にはすまないが、最初から吉田家とは縁が切れていたのだとはっきりいい切った。

「手前が大木家を継がなかったら、あれほど大事にしてくれた、大木の父に申しわけのないことになります。我ながら愚かでした」

ふと視線を傍らの草むらへ向けた。

「江戸にも蛍袋が咲くのですね」

ひどく嬉しそうに、その小さな桃色の草花をみつめた。

まるで釣り鐘のような恰好をした花がいくつも咲いている。

「こいつを、蛍袋というのか」

「八王子ではそう呼んでいますが、江戸ではなんと申しますか」

「俺は、花の名前なんぞ知らないよ」

「大木の父の好きな花でした。田や畑のそばにもよく咲いていて、母は大木家の墓所にもこの草を植えました。手前が江戸へ出て来る時、まだ花が咲いては居りませんでしたが」

帰心矢の如くという感じであった。

「気をつけて行けよ」

新大橋の袂まで広太郎を見送って、東吾は御籾蔵《おもみぐら》の脇の道を通って麻生家へ向った。

小名木川と竪川《たてかわ》を結んでいる六間堀を渡る猿子橋まで来て、東吾は足を止めた。

麻生家の門前に宗太郎と七重が立っている。

夫婦が見送っているのは、まだ若い母親とその母親を守るように小さいながら胸を張って歩いている五、六歳の少年であった。

母子はまっすぐ猿子橋へやって来る。

少年が東吾を認め、あっという顔をした。

東吾も少年の顔を憶えていた。

方月館から講武所へ出かけた朝、溜池のところで蟬採りの手伝いをしてやった、あの少年である。

少年が母親に何かを告げた。母親が東吾に気がついて顔色を変えた。

「この子が……お世話になりましたとか、ありがとう存じました」

かすれた声でいい、丁寧に頭を下げると、少年をうながして足早に歩き出した。

少年がものいいたげに二度、三度とふりむき、東吾も何かいってやりたいと思いつつ、言葉がみつからなかった。見送っていると母子は新大橋の方角へ道を折れ、その姿が消えてしまった。

「東吾さん……」

宗太郎の声が呼んで、東吾は夫婦の前へ行った。

「非番なんで、花坊を迎えに来たんだが……」

七重が屈託のない調子でいった。

「今のお方、東吾様、見憶えがございませんでしたの。私のお友達の清水琴江様ですよ。今は大村様へおかたづきになったから、大村琴江様ですけれど、御不幸なことに、旦那様が筑後の柳河へお国家老としてお帰りになって間もなく、卒中でお歿りになりましたの。それで、琴江様は勧めて下さる方があって、御主君、立花左近将監様の御息女に御奉公なさって、今度、そのお姫様が京極様の御嫡男と縁組がまとまって、お供をして江戸へお戻りになりましたの。もっとも、先立って御祝言がおすみになったので、お国許の多度津へお供をしなければならないそうですけれど……」

東吾は七重の言葉を聞いていなかった。頭の中がまっ白になって、耳の奥で風が鳴っている。

宗太郎がいった。

「そんなお喋りはどうでもいいから、早く花世に知らせてやりなさい。大喜びするだろうから……」

素直に七重が屋敷の中へかけ込んでから、宗太郎が低くいった。

「奇縁ですね」

「大村……、麻太郎だな」

この前、麻生家で東吾がみかけた時は三歳の筈であった。

あれから三年。

「俺は、あの子に会ったんだ。この前、溜池で……朝早く……」

蝉採りの話を、宗太郎は黙って聞いていたが、その目はうるんでいた。

大村麻太郎が、おそらく東吾の子に間違いないことを知っている只一人の東吾の友人であった。

「京極家の上屋敷は麻布六本木にあるんですよ」

ぽつんといった。

「あの子は、どうなるんだ」

「琴江どのは、多度津へ連れて行くといっていますが……」

視線を大川のほうへ向けた。

「東吾さん、虹が出ていますよ」

ふりむくと、ちょうど新大橋のあたりと思える見当に、鮮やかな七色の空の橋がかかっている。

あの虹の下を今頃、麻太郎が歩いていると思ったとたん、東吾は我を忘れて走り出しそうな衝動をおぼえた。

「東吾さん、その顔をなんとかしないと、花世と七重が来ますよ」

耳の近くで宗太郎がいった。

「あの子のことは、いずれ、話をします」

とうたま、とうたま、と呼ぶ花世の声が近づいていた。

この頃は、東吾の小父様といえるのに、甘える時は相変らず舌足らずなとうたまになってしまう。

東吾は両手で自分の頰を叩いた。

それでも、瞼の中から虹が消えなかった。

虹の中に、麻太郎の面影がくっきり浮んでいる。

東吾の耳の中に、あの朝の蟬の声が甦っていた。

笹舟流《ささぶねなが》し

一

日頃、楽天家であまり物事に拘泥《こうでい》しない神林東吾にしても、この問題は笑って忘れてしまうというものではなかった。

しかも、どう考えても結論は出ない。

「すまない、相談に乗ってくれ」

本所の麻生家を訪ねて、出て来た宗太郎に頭を下げた東吾をみて、

「わかりました。ちょうど江戸川橋の近くの薬園へ行きますので、よろしかったら同行して下さい」

この友人は心得た顔で承知した。

もともと、麻生家で話せることでもなく、東吾にしてもそのほうが有難い。

本所からの道中、麻生宗太郎は殆ど東吾に話をさせなかった。さりげない世間話やこの節の患者のあれこれなどを一人で喋り続けている。そんなところにも、この友人のひそかな心くばりが感じられて、東吾は内心で感謝し続けた。

大曲から江戸川に沿って行くと、右手は護国寺に続く門前町で、それを横切って川沿いを更に進むと、あたりは一面の水田となる。

もう一カ月もすれば刈取りが始まる稲は青い穂が伸びて、充分に実をつけている。

江戸川から引いた小さい流れの先に水車小屋があり、そのむこうに麻生宗太郎の生家である天野家の薬園があった。

宗太郎の実父は天野宗伯といい、将軍家の御典医であった。その妻はこれも代々、将軍家の典薬頭《てんやくのかみ》の家柄である今大路成徳の娘で、この薬園は今大路家の所有でもあった。従って、小石川の御薬園には及ばないが、敷地は広く、珍しい薬草の栽培も行われている。

薬園は天野家と今大路家の門人が番人をつとめ、薬草の手入れや管理の一切を受持っていた。

無論、宗太郎はその誰とも顔馴染で、

「若先生、お出でなされませ」

丁寧に迎えられた。

で、宗太郎はそれらの門弟と薬草について少々の話をすませると、

「東吾さん、こちらへ……」

畑の中の吹きさらしの休み所といった恰好の建物へ案内した。成程、この造りでは人が近づけば一目でわかる。

門弟の一人が茶の入った土瓶と湯呑茶碗、それに蕎麦饅頭を盛った鉢をおいて下って行くと、宗太郎は土瓶の茶を自分で湯呑に注ぎ、少しばかり緊張している東吾をうながした。

「話というのを、うかがいましょうか」

「大方、察していると思うが……」

「麻太郎坊やのことですか」

先月、たまたま、早朝に狸穴の方月館から講武所へ直行する途中、溜池の近くで蝉採りをしていた少年をみかけ、つい、手助けをした。

その少年が大村麻太郎であった。

忘れもしない。今、目の前にいる宗太郎が麻生家の娘、七重と祝言をあげた夜、本所から八丁堀へ帰る雪の道で、身投げをしようとしている娘と、それを制《と》めようと必死になっている乳母に出会った。乳母に懇願されて、娘を背負い、小梅村の近くの或る家まで送って行き、そこで酒のもてなしを受け、娘の身の上話を聞かされた。

娘は少女の時、男からいたずらをされたのが原因で、嫁入りしたものの夫婦の契りを結ぶことが出来ず、破鏡となった。

ところが、このたび、再縁の話がまとまって、その祝言の日も近い。けれども、また床入りになって夫を拒むような事態になるのではと、当人はひどく不安がっている。要するに東吾にその不安の種を除いて欲しい、そうすれば安心して嫁入りが出来ると、娘と乳母から泣きすがられ、かきくどかれて、何故、そうなったのか東吾にしてみれば自分で自分が信じられない気持だが、ともかくもその場のはずみでその娘を抱いてしまった。

いってみれば狐に化かされたような、或いは畝源三郎がいったように美人局《つつもたせ》にひっかかったのではないかといった印象だったが、結局、何事もなく、東吾もすっかり忘れて三年が過ぎた時、或ることから偶然、その雪の夜の娘は、あろうことか七重の友達で清水琴江といい、東吾が出会って間もなく、筑後柳河藩主、立花左近将監の家臣、大村彦右衛門へ後妻に入り、その年の暮に麻太郎という男児を産んだことがわかった。

以来、東吾の心の奥に一つの疑点がこびりついたまま、更に三年が経っている。

「東吾さん……」

自分の気持をどう口に出したものかと思案に暮れているような東吾を眺めて、宗太郎は穏やかに話し出した。

「二年前に、東吾さんがわたしに打ち明けられたのは、わたしと七重の祝言の夜に、琴江さんと出会ったことについてですが、ざっくばらんにいいますと、我が家に花世が誕生したのは祝言した年の暮、十二月三十一日のことでした」

胎児は十月十日《とつきとおか》、母親の胎内にいるものだと俗にはいうが、医学的にはそれよりも少い日数で生まれて来るものだと宗太郎はいった。

「その上、すべての子供が同じ日数だけ母親の胎内にいるとは限りません。のんびりとこの世に出て来る赤ん坊もいれば、そそっかしく、とび出して来るのもいます」

東吾が僅かに苦笑した。

「花世は正月の三日くらいに生まれて来る筈だったんだな」

「三日や五日の誤差は当り前です。人によっては十日、いや一月《ひとつき》近くも狂って誕生することもあります。いわゆる早産を別にしてもです」

「なんで、そんなに勘定が違って来るんだ」

「要するに、母親の胎内に赤児が宿った日というのがわかりにくいからです」

東吾が視線を逸らせた。自分と琴江が契った日は、はっきりしているといいたかったが、流石《さすが》に口には出せなかった。

「なんにしても、花世は誕生した日から考えて、手前と七重が夫婦になってかなり早い時期に妊《みごも》ったのだとわかります」

「麻太郎は、いつ、生まれているんだ」

声が低くなった。

「事情を知らない七重が、なんの気なしに琴江どのに訊いたところ、予定よりも早くて、暮の三十日だったと……」

「一日違いか」

「単純に考えてはいけません。さっきも申した通り、子供が母親の胎内にいる日にちはその子によって随分と違うのです。まして月満ちる前に生まれた場合には一月以上早くても不思議ではありません」

「気休めをいってくれなくていいんだ」

湯呑を手にして、気が進まないのを我慢して、一口飲んだ。ここで出される茶がなにかの薬湯で、えらく苦いのは知っている。

「俺は麻太郎が、俺の子だと思っている」

あの朝、溜池で偶然に出会ったのは、親子の縁というものに違いないと、今の東吾は確信していた。

「東吾さんの思い込みかも知れませんよ」

「俺に似ていると思わないか」

「子供の顔は変るものです。あてには出来ません」

「どうやったら、俺の子だとわかる」

「もう少し、医学が進まないと無理でしょう」

「足の親指をみろというそうだが……」

「俗説です」

「なにか、ないのか」

宗太郎が、やっと飲み干した東吾の湯呑に土瓶の薬湯を注いだ。

「こんな苦いものが二杯も飲めるか」

「夏の疲れを除きますよ」

「俺は、別に疲れてなんぞいない……」

「母親には多少、わかるもののようですが、勿論、断定は出来ません」

ところで、と東吾の表情をみつめた。

「仮に、麻太郎坊やが東吾さんの血筋だとして、東吾さんはどうするつもりなのですか」

「俺は……」

声が咽喉につまって、東吾は腹に力を入れた。

「あの子に逢って、たまらないほど、愛《いと》おしく思えたんだ。俺の子であろうとなかろうと、もう、そんなことはどうでもいい。琴江どのが許してくれるならば、引き取りたい」

本心であった。

梢の蝉を採るために抱き上げた時の、ひなた臭い髪の匂い、遠慮を忘れて、喜々として竿をふり廻した恰好、蝉の羽についた黐《もち》を除っている東吾の手許を真剣な顔でのぞき込んでいた少年のつぶらな瞳、そういった一つ一つが、ここ何日か東吾の心を占めていて、もはや、どうしようもないまでにふくれ上っている。

「琴江どのが、大村どのの奥方である中《うち》は、なにもいってはならぬ、いうべきではない
と自制するが、大村どのは、すでに他界されたと聞いた。なにも、この子は俺の子だと
いい出して、琴江どのに恥をかかせるつもりはない。なんとか良い方法で……」

「おるいさんを離別して、琴江さんと夫婦になりますか」

絶句して、東吾は友人を睨んだ。

「俺に、そんなことが出来ると思うか」

「出来ないでしょうね」

「断じて、るいとは別れないよ」

「それを聞いて安心しました」

「琴江どのには、すまないと思うが……」

「東吾さんがすまながる必要はないでしょう。仕掛けたのは琴江さんのほうで、東吾さ
んは乗せられたのですから……」

「しかし、子供が出来るとはなあ……」

それを思うと、柄にもなく宿世の縁といったような感慨が浮んで来る。

「話を進めますがね」

あくまでも生真面目に宗太郎が続けた。

「仮に、麻太郎坊やを引き取るとして、おるいさんに内証には出来ないでしょう」

「それも考えたんだ」

なにもかも、るいに打ちあけるといった。

「るいの気持を傷つけるとは思うが……」

「おるいさんの気性では、自分が身を引くから、琴江さんと夫婦になってくれといい出しかねませんよ」

「そんなことはさせない。俺が許すものか」

「東吾さんも、相当の亭主関白ですね」

笑いもしないでいった宗太郎に、東吾は情ない表情になった。

「頼むから、力になってくれ。今のままでは八方ふさがりというか、身動きがとれない、まるで金縛りにあったような気分なんだ」

宗太郎がうなずいた。

「わかりました。これから琴江さんを訪ねて、東吾さんの気持をなるべく正直に話してみましょう。その上で、琴江さんがなんというか……」

「厄介をかけてすまない」

「東吾さんは、どこで待ちますか」

「溜池のところにいるよ」

即座に返事が出た。

「琴江どのは、今、京極家の上屋敷に居るのだろう」

琴江が仕えている立花家の姫君が京極家の嫡男へ輿入れをし、琴江も姫君と共に京極家に入った。

「では、行きますか」

薬園を出て、まっしぐらに溜池のほとりまで行き、宗太郎は東吾を残して一人で京極家へ行った。

茫然と東吾は待った。

考えることはいくらもある筈なのに、心には何も浮ばず、ただ、視線があたりの木々に釘づけになっていた。

あの朝、そこに麻太郎がいた。木の間を走り、梢を見上げ、蟬採り竿を握りしめ、東吾の顔をふり仰いだ。その姿が、まぼろしのように木立の間にみえるような気がする。

一刻ばかりで、宗太郎は戻って来た。

「琴江さんの返事を聞いて来ました。たとい、東吾さんがどう思われようと、麻太郎坊やは大村彦右衛門どのの忘れ形見だと自分は信じている。また、大村どのに先立たれた今は、自分の心の支えは麻太郎只一人、麻太郎は自分の命だといい切られました。御親切はありがたいが、手放すつもりは毛頭ないと……」

東吾の心を、寂しい風が吹いた。

琴江がそういうであろうことは、予想しなかったわけではない。しかし、改めて宗太郎を通して、はっきり言葉にされると、まるで麻太郎との親子の縁を断ち切られたような痛みを感じる。

「ただ、最後に、こうもいわれました。時が来たら、もし、その時があったら、麻太郎の力になってやって下さい、と……」

「時が来たら……か」

母一人子一人であった。琴江は万一、自分が先立った時のことを考えているのかも知れないと思った。

溜池に西陽がさして、蟬が鳴きはじめた。

「つらいでしょうが、東吾さん、琴江さんのつらさも察してあげて下さい。これから先は男が忍耐を背負うべきだと、わたしはいいたいのです」

ふっと東吾は表情を崩した。

「そうだな。それしかないのだな」

「それしかありません」

宗太郎が歩き出し、東吾がその後に続いた。

「女は強いな」

ぽつんといったのに、

「子を産むと強くなります。七重も強いものですよ」

先月、地震があったでしょう、といった。

大地震ではないが、棚からものが落ち、屋根瓦が割れた家もあった。

「わたしは患者を診ていましてね。慌てて母屋へ走ったら、七重は小太郎と花世を抱えて庭に出ていました。母親というのは、たいしたものです」

「そうだろうなあ」

八丁堀を通り抜け、豊海橋の袂で宗太郎と別れた。

東吾が見送っていると、宗太郎はふりむきもせず、せっかちな足取りで永代橋を渡って行った。

琴江が麻太郎を渡さないといったことで、がっかりはしていたが、同時に、るいを傷つけなくて済んだという思いもないわけではなかった。

男の勝手かも知れないが、麻太郎のことで立ち往生していた自分の気持が、のろのろとだが、るいとの日常に戻って行くような気配がある。

大きな息を一つ吐いて、東吾は「かわせみ」へ帰った。

二

東吾が胸に秘密を持って、あれこれと悩み続けていた時、るいも亦、夫に一つの秘密を抱え込んでいた。

そのために、東吾の様子がいつもと違うとは思いながら、それを追及する余裕がなかった。

更にいえば、「かわせみ」の忠実な奉公人であるところの嘉助とお吉は、るいの秘密を承知していて、それを東吾にかくすという点で共犯者の立場にあったので、こちらもどことなく東吾の視線を避けるふうがあり、東吾がいつになく気難しそうにみえるのは、自分達がかくしごとをしているせいだと、すまなく感じていた。

で、「かわせみ」のみんながどことなくぎくしゃくしている最中に、そんなこととは全く無関係な深川長寿庵の長助が一人の女を伴ってやって来た。

「なんですか、あっしもわけがわからねえんでございますが、……今日、本願寺さんでちょいとした集まりがございまして、あっしも顔を出しました。その帰りに、神田の料理屋で三光亭という店の主人と立ち話をして居りますと、この人が近づいて参りまして、かわせみという店を知らないかと申します」

当然、長助は知っていると返事をしたのだったが、

「是非、連れて行ってくれといわれまして、念のため、なんの用かと訊ねたんでございますが、どうも、はっきり致しません。連れて行ってもらえばわかるといったようなことをしきりに申しますんで、まあ、みたところ、きちんとした家のお内儀さんという感じなので、なにか人にいえない子細でもあるのかと案内して来たわけなんでございますが……」

多少、不安のある目で、背後の女をふり返った。

たしかに、長助がためらいながらも「かわせみ」に伴って来たのは、女の身なりが如何にも堅気の家の女房で、江戸の者の目からみると、いささか田舎風ではあるが、上質の越後縮みの着物に単《ひとえ》の帯を結び、手には小さな風呂敷包と日除けの笠、履いている草

履は真新しい。

女は、長助にうながされるようにして二、三歩、前に出たが、丁寧に頭を下げただけで、なにをいったものかと迷っている様子であった。

「お前さん、こちらはかわせみの番頭さんだ。なんの用事か知らないが、まず番頭さんに話をしなさるがいい」

長助が重ねていったが、女はそれでも黙っている。

「失礼でございますが、お名前は……」

嘉助が如何にも宿屋の番頭といった口調で訊ねた。が、目の中に、その昔、八丁堀の見る目、嗅ぐ鼻といわれた俊敏なお手先時代の名残りがさりげなく光った。

女は答えようとして逡巡した。たまたま、廊下のむこうで、るいがお吉を呼ぶ声が聞えた、とたんに、女が顔を上げ、嬉しそうにいった。

「お吉でございます」

「どこから来なすった、あなたさんのお住居は……」

女が黙り込み、長助が嘉助にいった。

「会ったのは、築地の本願寺を出たところだったんですが……」

女がいった。

「築地の本願寺の近くで……」

「あすこあたりだと……」

いいかけた長助の言葉を、嘉助が目で制した。

明らかに、女が耳に入ってくる言葉をそっくり口に出しているとわかったからである。

嘉助が女をみつめ、女は慌てたようにうつむいた。

「手前どもに、なんの御用で……」

嘉助の語尾にぴしっとしたものがあって、女が慄えた。

「申しわけありません。それが、わからないのでございます」

「わからないったって、お前さん……」

連れて来た長助が泡をくった。

「そんな馬鹿な……用事を忘れちまったとでもいいなさるのか」

「ごめん下さい。堪忍して下さいまし。なんですか、頭の中がぼんやりしてしまって……」

帳場の声が聞えたのか、るいがお吉と一緒に出て来た。

「長助親分、どうかなさいまして……」

女の顔色がさっと蒼くなった。

「……親分……」

足元から崩れるように土間に倒れた。

「もしもし、お前さん、しっかりするんだ。もしもし……」

長助が抱き起して、女の頬を叩いたが、女はまるで反応がなく、薄く開いている目は完全に焦点が定まらなかった。

とりあえず、帳場から一番近い客間へ運び、布団を敷いて寝かせ、若い者を近くの医者へ走らせた。

そこへ東吾が帰って来た。

「どうも、とんだ女を連れて来ちまいまして……なんともはや……」

長助が汗をかきかき、事情を話している最中に医者が来て、お吉と一緒に客間へ行く。

「まだ、なんとも申せませんが、手前の勘では悪い人間とは思えませんが……」

嘉助の言葉に、長助がぼんのくぼへ手をやった。

「そいつはどうですか。あっしの名前を聞いたとたんにひっくり返りゃあがったのが、どうも気になります」

お吉が走って来た。

「道庵先生が、手に負えないから、本所の麻生先生を呼んで下さいって……怖しい声でうなり出して、あばれ出したんです」

長助がとび出して行き、東吾は竹の間と名のついている客間へ行ってみた。

医者と嘉助が布団の上から女を押えつけ、女はしきりに首をふっている。

「どうしたんだ」

東吾が訊き、医者が、

「どうも、癲癇《てんかん》のような按配ですが……」

汗だらけの顔で答えた。

宗太郎がかけつけて来たのは思いの外、早かった。

「かわせみ」の前に駕籠が地響きを立てて止まり、薬籠を抱えた宗太郎がとび出した。

「おるいさんはどこです……」

暖簾をくぐって、そこに出迎えていたるいをみて、あっという顔になる。

長助が後から叫んだ。

「あいすいません。あっしとしたことが、くわしい事情をお話しする暇がなかったもんで……」

「おるいさんに異変が起ったんじゃなかったんですか」

やれやれと薬籠を板の間へ下しかけて、あたりを見廻した。

「東吾さんは……」

「病人が時々、あばれるので、嘉助と押えています」

るいが、ちょっと首をすくめるようにし、宗太郎が笑った。

「危なかったですね」

二人だけに通ずる目まぜをして、竹の間へ行った。

半刻ばかりして、宗太郎が東吾と共に居間へ戻って来た。縁側から沓脱ぎにあった庭下駄をはいて井戸端へ行き、お吉の介添えで手を洗ってくると、すでに用意されているお膳の上を眺めて眼を細くした。

青々と茹で上った枝豆に、子持ち鮎、茄子の田楽やら、鯉の洗いなどを見廻して満足そうに膳の前に腰をすえる。

「今日は多忙で、午餉《ひるげ》を食べそこねているのです。いい時に呼びに来てくれましたよ」

るいのお酌を受けて、旨そうに盃を干した。

「それにしても、かわせみには厄介な客が舞い込むものですね」

東吾が二杯目を手酌で飲みながら応じた。

「舞い込んだんじゃない、長助が連れて来たんだ」

揚げ豆腐を運んで来たお吉が口をはさんだ。

「長助親分の話ですと、本願寺さんのところで、かわせみはどこだって訊かれたそうですよ」

「あとで長助親分に訊いてごらんなさい。おそらく、長助は誰かと話をしていて、そこでかわせみの名を口に出したんじゃありませんかね。通りかかった女の耳に、かわせみの名が聞えたんだと思いますよ」

お吉が目を丸くした。

「それじゃ、あの人は、かわせみに用があって訪ねて来たんじゃないんですか」

宗太郎が、るいが骨を取ってよこした子持ち鮎を旨そうに食べながら答えた。

「多分、ここの家とは、なんの関係もない筈ですよ」

「病気か、あの女……」

「正しくは、心の病気です。要するに、なにかで、今までのことを忘れてしまったんですな」

「自分の名前もか……」

「珍しくはありません。わたしは長崎で、阿蘭陀《オランダ》船の水夫が、帆柱から落ちた拍子にそれまでのことをすっかり忘れてしまったというのを診ました」

「どの程度、忘れるんだ」

「人にもよるらしいですが、その水夫の場合は、なにもかもでした。名前も、生まれも、雇主《やとい》《ぬし》親兄弟のあるなしも、自分がどこから来たのか、どこにいるのか、職業のことも、雇主が誰かも、とにかく、頭の中がまっ白という感じでしたね」

「そんな病気があるとは知らなかったな」

「東吾さんだって、たとえば、頭をなぐられたとたんにわけがわからなくなるかも知れませんよ。おるいさんに向って、あなた様はどなたでしょうなぞといい出すんです」

「よせやい」

「それまでのことはみんな忘れてしまうけれども、馬鹿になったわけではないから、必死になって思い出そうとする。その結果、耳に入って来るものにすぐ反応したりするんです。人の名前をきけばそれが自分の名前だと思い込んでしまったり……」

お吉が顔をしかめた。

「いやですよ。変な時に、お嬢さんがあたしの名前なんぞ、お呼びなさるから……」

あの女は、嘉助に名を訊かれて、お吉と答えている。

「今度、目がさめると、多分、かなり落ちついているでしょうから、自分の本当の名前がお吉でないことぐらいはわかるかも知れません」

「薬を飲ませるかして、昔のことを思い出させるのは無理なのか」

東吾の問いに、宗太郎が苦笑した。

「今のところ、そうした薬はありません」

「じゃあ、どうするんだ」

「医者の手には負えないのです。常人《うち》として生きて行くことは出来るので、新しい生活に入ることは可能でしょう。その中に、なにかのはずみに昔のことを思い出すという場合もなきにしもあらずですが……」

「困るじゃありませんか」

東吾の鮎の骨を抜き終えたるいが手拭で指を拭いながらいった。

「えらいことになりゃあしませんか。新しい暮しをはじめて、もし、好きな人でも出来て夫婦になって……、その中《うち》に昔を思い出したら、自分には旦那様も子供もいたなんてこともあるわけでしょう」

「第一、親兄弟だの、もし、亭主持ちならば、家族は心配しているだろうな。突然、どこかへ消えちまったんだろう」

「探していると思いますね」

女の身なりからして、江戸の周辺から出て来たのではないかと宗太郎もいった。

「あまり遠くから来たとは考えられません」

そのあたりは長助が畝源三郎へ報告旁《かたがた》、相談に行っているから、町役人《ちょうやくにん》を通じて諸方に問い合せのようなことは出来るのではないかと「かわせみ」のみんなは僅かなのぞみを持った。

さし当って、女の身のふり方だが、

「ここへいらしたのも、なにかの御縁でしょうから、暫くはうちで面倒をみさせて頂きます」

るいが相変らずの女長兵衛でひき受けた。

なんにしても、女一人を路頭に迷わすわけにも行かない。

翌朝、畝源三郎が長助と共に「かわせみ」へやって来たのだが、その前に一つの事件があった。

朝、例の女はきちんと起きて身じまいをし、お吉の運んだ朝餉も食べたのだが、その後で、るいが、

「竹の間は狭いし、どうせ空いているのですから、大川のみえる部屋のほうが気持がいいのでは……」

といい出して、桐の間へ女を案内した。その部屋は二階で、窓からは大川が見渡せる。

ところが、部屋へ入るなり、女は開けてある窓のむこうを眺めて顔面蒼白になった。

「怖い……怖い……」

半狂乱で叫び出し、るいの声で嘉助と東吾がかけつけ、女を階下の竹の間へ戻したのだが、それきり女は放心したようにすわり込んでいる。

源三郎は竹の間へ行って、少々、女と話をして出て来たが、

「今は落ちついています。自分がなんで怖がったのかについては、おぼえがないと申していますが……」

不安そうな「かわせみ」一同に報告した。

「考えてみたのだが、大川をみて怖がったということは、川で何か怖しい目に遭ったんじゃないのか」

東吾がいい出した。

「宗太郎の話だと、ああいうふうになるきっかけは帆柱から落ちたとか危い思いをしたとか、そうでなければ、えらくつらい、悲しいことにぶつかったりした時だそうだ」

近頃、江戸の周辺で川が氾濫したり、人が流されたりしたようなことはなかったのかと訊かれて、源三郎が首をひねった。

「奉行所へ戻って調べてみますが、今年は空梅雨で、川水があふれたといった話は聞いていません」

「俺の考え違いかなあ」

東吾にしても、自信はなかった。

三

竹の間へ戻った女は、ひっそりと暮していた。部屋からは殆ど外へ出ないし、何事もない。それでも日が経つにつれて、自分の食事がすむとお膳を台所に運んで来たりするようになった。

たまたま、お吉が古い浴衣をほどいているのを見ると、自分にもそのくらいの仕事は出来るのでやらせてくれという。

お吉がしまっておいた古い浴衣をせっせとほどき出したのは、その必要があったからで、では、と二、三枚渡してやると丁寧にほどいて来て、なにかに縫い直すのなら、針と糸を頂ければといったが、それはちょっとこの女に頼むわけには行かなかった。万一、東吾の目に触れて、あれは何だと訊かれた日には返答に窮するからである。

それで、お吉はもっぱらほどきものだけを女に頼んでいた。

女がきれいにたたんだ古浴衣のほどいたのを持って台所へやって来た時、お吉は板前と熊笹を眺めていた。それは夏の間、「かわせみ」を発って行く旅客に弁当を頼まれた時、季節柄、途中で腐らないように梅干を入れた焼きむすびと酢をふった飯に塩鮭の焼いたのをほぐしてまぜ合せ、笹の葉鮨にしたのとを用意するのだが、それがなかなか好評で、この節は滞在中にちょっと遠出をするような客までが注文する。で、大きな熊笹を板前が青物市で仕入れて来る。

女がいきなり熊笹を手に取って、頬に押し当てるようにしたので、お吉は驚いた。どうしたのかと訊くと、恥かしそうに、これを二、三枚もらえないかという。

「よござんすとも、お好きなだけどうぞ」

といったが、女は遠慮している。で、お吉が十枚ばかりを渡すと、いそいそと竹の間へ戻って行った。

あとから晩餉の膳を運んで行くと、女は熊笹で笹舟を作っているのであった。

「どういうんでしょう、夢中になって笹舟を作ってて、あたしに、明日、舟を流せるような所へ連れて行ってくれって、まるで子供みたいな口調でいうんですよ」

気味悪そうに、お吉がいいつけに来て、東吾とるいは顔を見合せた。

「なにかを思い出したんでしょうか」

「そうかも知れないな」

明日は自分が女を川へ連れて行ってみよう、なにかいい出すかも知れないと東吾はいったのだったが、これがえらいさわぎになった。

まず、手近かな所と考えて、「かわせみ」の庭から大川の堤の上へあがり、そこから岸辺へ下りる石段を行くと、ちょっとした舟寄せがあるので、そこから笹舟を流そうかと考えたのだが、大川をみたとたんに女は顔から血が引いて、お吉の手をふり切って家へ逃げ込んでしまった。

「そうだった。大きな川は怖がるんだった」

東吾がしくじりに気がついて、さらばと思案したが、江戸の川はどこもそれなりの川幅があり、舟が往来していて、とても笹舟を流すような小川がない。

「広尾のほうへ行けば、古川の水を田んぼに引く小川があるがなあ」

東吾がいった時、嘉助が智恵を出した。

「笹舟を浮べるんでございましたら、川でなくとも、本願寺さんの境内の池は亀島川の水をひいていて、子供達がおたまじゃくしをすくったりするほどの小流れもございますし、あそこではどんなものでしょうか」

築地の本願寺といえば、この女が長助に声をかけたのもその近くだという。「かわせみ」へ来てから一度も家の外に出ていない女にとって、元の場所へ行ってみるというのも、なにかの役に立つかも知れないと思い、東吾は女とお吉を連れて築地の本願寺へ出かけた。

築地本願寺は元和年間に本願寺十二代、准如《じゅんにょ》上人が日本橋の浜町に一宇を創建し、江戸海辺御坊、或いは浜町御坊と呼ばれたが、明暦の大火で焼け、その後、幕府よりこの土地が寄進されて移建したもので、当時、このあたりは海辺で、信徒が土や砂を運んで土地を築いたことから、築地の名が生じたといわれている。

江戸では浅草の本願寺別院と共に両寺と呼ばれる浄土真宗の名刹で、東吾がお吉と名の知れない女を伴って行った日も、各地からやって来た信徒が境内の手入れや伽藍の掃除などの奉仕にはげんでいるのが見られた。

池のほとりで、女はまるで子供の時代に戻ってしまったように、無心に笹舟を浮べ、時折、一人笑いをしながら、流れて行く笹舟を追って走ったりしている。

その姿をみたのか、本堂から一人の僧が近づいて来たので、東吾はざっと事情を話し、もしも、信徒の中で女に心当りのある者がいたら、大川端町の「かわせみ」という旅籠《はたご》に知らせてもらいたいと頼んだ。

それというのも、長助が女に出会ったのもこの近くだし、ひょっとして女がかつて信徒として本願寺へ参詣に来たことがあったのではないかと考えた故だったが、僧も同じような思案を持ったようで、

「よろしゅうございます。当寺には津々浦々から参詣の方々がおみえになります。仏縁によって、あのお方の身許が知れますよう、及ばずながら、御仏におすがり申しましょう」

といってくれた。

一刻ばかりを本願寺の池のほとりで過し、東吾は疲れ果てた女の様子をみて、再び「かわせみ」へ連れて帰った。

それから五日後のこと、東吾が講武所の稽古を終えて八丁堀の近くまで戻って来ると、むこうから老齢の医者が大股に歩いて来るのに出会った。

高橋宗益という八丁堀に屋敷のある医者で、東吾も子供の頃、熱を出したり、腹をこわしたりして、よく厄介をかけた。で、

「先生、お出かけでしたか」

と声をかけると、

「相変らず腕白そうな顔で歩いて居るな。おるいさんに変りはないか。仁科先生の所には欠かさず通っているだろうな」

大声でいう。

「るいが病気なのですか」

わけがわからず問い返すと、

「いやいや病気ではない、病気ではない」

薬籠を提げていないほうの手をふり廻すようにして、とっとと行ってしまった。

見送っている背後から、長助の声が呼んだ。まっ赤な顔で走って来る。

「若先生……」

「名なしの女の知り合いが訪ねて来ました。あっしは畝の旦那をお迎えに……」

足も止めずに宙をとんで行く。

東吾も一目散に「かわせみ」へ戻った。

帳場を上ったところに、一目で代官所のお手先、実は地廻りの親分と二足の草鞋をはいている男と知れる中年の小肥りのが、わざわざ十手を前からみえる所にさして、あぐらをかいている。

その前に、るいと嘉助がいて、入って来た東吾をみると、ほっとした表情を浮べた。

「こちらが、当家の旦那様でございます」

嘉助がいうと、相手は意外そうな顔をした。

二本差しの侍が、なんで旅籠の主人かという表情をする。

かまわず、東吾は相手の正面へすわった。

「あんた、代官所の手先らしいな」

男は作り笑いをし、頭を下げた。

「平塚の代官所の御用を承って居りまして、柏屋藤蔵と申します」

「柏屋というと……」

「平塚の手前、中島と申す土地の旅籠で……」

「同業だな」

「とんでもねえことで……こちら様と違いまして、けちな木賃宿でございます」

「で、用件は……」

「おけいが、こちら様に御厄介になっていると、藤沢の知り合いから教えられまして
……」

「おけいというのは……」

「手前の女房の妹に当ります」

「話してくれ。わけを聞こう」

藤蔵が膝を進めた。

「手前の女房はおすみと申しまして、藤沢の、やはり旅籠の娘でございます。手前とは夫婦になってこの秋が来れば丸一年になるところでございましたが、今月の二日に、行方知れずになりました。手前はお上の御用で平塚のほうへ出かけていた留守中《うち》のことでございます。八方手を尽しましたが皆目行方が知れません。その中に藤沢の親元から知らせが参りまして、妹のおけいが姉の所へ行くといって出かけたきり戻って来ないが、どうしているかと申します。手前の知る限り、おけいは手前どもへ参って居りません。ひょっとすると手前の留守中、姉妹で江ノ島あたりへ遊びに行ったのかと心配して居りましたが、一昨日、藤沢からおすみの弟が訪ねて来まして、町内の者が江戸の本願寺さんへ御奉仕に参りまして、坊さんから奇妙な女の話を聞いた。坊さんの話の女の人相や年頃、江戸へ現われた日から考えて、もしやおすみかおけいではなかろうかと申したといいますんで、まあ、弟は病気の親を抱えていますし、旅は手前のほうが馴れて居ります。江戸へ行ってその話を確かめて来るからと弟に約束致し、早速、こうしておうかがい申したわけでございます」

立板に水、というほどでもないが、馴れた口調であった。

「事情はわかった。ところで、この家があずかっている女は、なにかの拍子に今までのことをすっかり忘れてしまい、自分の名前すらおぼえていないのだが、そのことについてはどう思う」

藤蔵が眉を寄せた。

「それは、弟からも聞いて参りました。本当に自分の名もわかりませんので……」

「そうだ。名も所もおぼえていない。医者の話によると、原因は怖しい出来事に遭った故ではないかというのだが、当人にいくら訊ねても、何一つ思い出せないのだ」

「左様でございますか」

上目遣いに東吾をみた。

「考えたくもねえことですが、姉妹で江ノ島へ行く途中にでも、悪い奴に目をつけられて、ひどいめに遭ったんじゃねえかと思います」

「成程、すると、おけいはともかく、もう一人のおすみはどうなったと思う」

「さあ」

「なにしろ、おけいは全く、なにも憶えていないのだ」

「情ねえことでございますが、ひょっとすると生きていねえのでは……そうしますと、おけいの気がおかしくなったのがわかるような按配でして……」

がたんと大きな音がした。

藤蔵はそちらに背をむけてすわっていたので、全く気がつかなかったのだが、そこには少し前からお吉に伴われた女が立っていた。

音は女がよろめいて戸口にぶつかったものであった。

「やっぱり、おけいか……」

ふりむいた藤蔵がいい、

「おすみはどうした。二人で江ノ島へ遊びに行ったんじゃなかったのか」

立ち上ろうとした瞬間に、おけいが叫んだ。

「人殺し……」

腹の底から絞り出すような声であった。

「よくも、姉さんを殺したね、よくも、姉さんを……」

「なにをいう……」

藤蔵がまわりの人々を見廻した。

「おけいはたしかに気が触れているようで……」

「あたしは正気です」

目にも声にも力があった。

「なにもかも、みんな思い出したんです。姉さんから文が来て、あたし、親には心配させたくなかったから、遊びに行くといって姉さんの所へ出かけました。姉さんの家は馬入川のそばで、家へついたのがもう夜だったのに、声をかけても誰もいない。裏手へ出て、そこは川っぷちです。川っぷちの崖の上で、そいつは鍬で土を掘ってました。なにをするのかとみていたら、姉さんを……姉さんの死体を、穴の中に放り込んで……あたし、悲鳴を上げました。そしたら、そいつが追いかけて来て、あたし、川にとび込みました。流されて……気がついたら、ずっと下流の、漁師の人の家でした。助けられて、あたし、なにがなんだかわかりません。自分の名前も……思い出したのが本願寺ってことだけだったんです」

藤蔵がふらふらと立ち上りかけた。

「なにをいってやがる。気が触れて、ろくでもないことをいい出しやがって……」

おけいが必死で叫んだ。

「嘘じゃない、嘘だと思ったら、この人の家の裏の崖んところを掘って下さい。姉さんがそこに埋まってる……」

「黙りゃあがれ」

つかみかかろうとした藤蔵の横っ面を東吾が思いきりなぐりつけた。藤蔵の体がふっとび、土間にころげ、そこへ暖簾《のれん》を分けて畝源三郎が入って来た。

藤蔵は召捕られ、奉行所の指図で畝源三郎が平塚へ出張し、代官所の役人が立ち会って藤蔵の家の裏手、おけいがいった場所を調べると、確かに最近、土を掘り返した痕があり、そこへ鍬を入れるとまさしく、おすみの死体が出て来た。

おすみは固い棒のようなものでなぐり殺されて居り、その血のついた兇器も、藤蔵の家の物置にあった。

更に、藤蔵はその日、自分は平塚の代官所へ行っていたと申し立てたが、代官所では彼に用事をいいつけたこともなく、誰も彼の姿をみた者はいない、と答えた。

「往生ぎわの悪い奴だぜ、江戸のお白洲は甘かあねえと思い知らせてやろうじゃねえか」

取調べの同心にひっぱたかれて、遂に藤蔵は女房殺しを白状した。

「藤蔵って男は、平塚にも女房と呼んでる女がいたんです。その女には三人も子を産ませていて、子分にも姐さんと呼ばせていることが、姉さんにばれたんです。もともと、姉さんは好きで藤蔵の女房になったわけじゃない。あいつに手ごめにされて、病身の親を心配させまいと泣く泣く嫁に行ったんです。だから、平塚の女のことや、藤蔵が人の弱味をつかんで金をおどし取ったり、賭場でいかさまをやって素人衆から金を巻き上げたりしているのがわかってきて、離縁を取りたいってあたしに相談して来ました。だけど、藤蔵は姉さんの口から悪事がばれるのを怖れて……それで姉さんを……」

泣きながら東吾に訴えたおけいも藤蔵の処刑が決まった日に、弟が藤沢から迎えに来て、揃って「かわせみ」を発って行った。

「あいつ、いつから正気に戻ったと思う」

三日ばかり雨が続いて、朝夕ひんやりと秋の気配を感じる「かわせみ」の居間で、近所の患家へ来たついでだと立ち寄った麻生宗太郎に東吾が訊いた。

「ひょっとすると、笹舟じゃありませんか」

るいが目を大きくした。

「やっぱり宗太郎先生は名医でいらっしゃいますこと……」

「東吾さんの話を聞いていて、すぐわかりましたよ。笹舟はおけいさんの子供の頃の思い出なんでしょう。おそらく、姉さんと二人で笹舟を作って小川に流した楽しい思い出が甦って来て、そこから光がさして来たんだと思います」

「はっきり思い出したのは、藤蔵の顔を見た瞬間だったとさ」

「成程……」

宗太郎が二つ目のぼたもちに手をのばしながらいった。

「藤蔵という男、おけいさんがなにもかも忘れてしまっていると聞いて、安心して江戸へやって来たわけですね」

「本願寺さんのおかげですよ」

新しい茶碗をさし出しながら、お吉が有難そうにいった。

「仏様は悪人をおみのがしになることはございません」

「悪人も往生出来るとおっしゃったのは、なんという坊さんでしたっけ」

宗太郎の揶揄をお吉は無視した。

「おけいさんが、わけがわからなくなってから、本願寺さんへ来た理由はおわかりですか」

「漁師の家で助けられてから、誰かが本願寺の話をした……」

「いいえ、漁師さんの家のお仏壇に本願寺さんから頂いた御札《おふだ》があったんですって」

「やられましたね。これは……」

笑いこけている宗太郎を眺めていて、ふと、東吾は思い出した。

「そういえば、こないだ、高橋宗益先生に出会ったんだが……」

宗太郎が慌てたように笑いをひっこめた。

「るいが、なんといったかな、仁科先生とかへ行っているかといわれたんだが……」

すわり直した宗太郎をみて、東吾は急に不安になった。

「仁科先生というのを、知っているのか」

「手前が知っているのは、仁科交安先生ですが……」

「医者か」

「そうですね」

「るいは、どこか悪いのか」

「いや、病気ではありませんが……」

お吉がこそこそと逃げ出そうとするのを宗太郎が呼び止めた。

「おるいさんを呼んで下さい。もう、いい加減に喜ばせてあげたらどうですかと、手前が申していたと……」

お吉がおそるおそるといった恰好で東吾を見上げた。

「どうぞ、お嬢さんをお叱りなさいませんように……お嬢さんは、ただのお体ではございませんのです」

「なんだと……」

「お嬢さんをお呼び申します」

障子にぶつかるような音を立てて、お吉が去った。

「宗太郎……」

「おるいさんがいわれたんですよ。手前に診てもらうのは、どうもきまりが悪い。それで子供の頃からのおなじみの高橋宗益先生に診てもらったとね」

東吾は両手で自分の膝をつかんだ。

「宗益先生がその後で手前をお呼びになったんです。間違いないと思うが、自分はそっちの専門ではない。誰ぞに、おるいさんを診せよ、と……ですから、手前は父と相談して仁科先生の所へおるいさんをお連れしました」

「待ってくれ。まわりくどい話はどうでもいい。いったい、ここの連中は、何を俺にかくしていた」

「みんな、心配だったんですよ。東吾さんをぬかよろこびさせたくない、みんなに口止めしたのは、おるいさんです」

東吾の声が途惑った。

「宗太郎、仁科交安先生というのは……」

「申し上げるまでもないでしょう。お産の大家です。まかせておいて心配はありません」

嘘だろう、といいかけて、東吾は熱い息を吐いた。

「俺をだますんじゃないだろうな」

「医者は人をだましません」

「いつ、産まれるんだ」

「来年の一月末ぐらいですかね」

「よくも、そんな大事なことを、俺にかくしやがって……」

「医者は患者の秘密を洩らしません」

「るいはお前の患者じゃないだろう」

怒るつもりが、東吾の声は到底、怒り切れない。

「信じられないよ」

「最初は、みんな、そういいますよ」

「男か、女か」

「いつもいうでしょう。そればかりは名医にもわかりかねます」

「こん畜生、なにが名医だ……」

るい、るい、と大声で呼びながら部屋を出て行く東吾を見送って、麻生宗太郎はなんとなく神棚を仰いだ。

「さて、神様といい、仏様といい、なにをお考えなさるやら……」

手酌で残った酒を飲み、薬籠を取って、そっと立ち上った。

帳場へ出ると、嘉助が途方に暮れた顔で台所のほうのさわぎに耳をすましている。

宗太郎をみて、

「ばれましたんで……」

なんとも嬉しそうな笑顔になった。

「まず、もう心配ないからな。これからは亭主がしっかりしなけりゃならないんだ」

「若先生は、どんなにかお嬉しいことで……」

そういった嘉助の目が濡れている。

「また来るよ」

暖簾を分けた宗太郎の前を、燕がかすめて飛んだ。

江戸は夏から秋へゆっくり動き出している。

迷子《まいご》の鶏《とり》

一

大川端の旅籠「かわせみ」では、このところ、いささか遠慮がちな鶏の鳴き声で朝を迎えていた。

「どこから来ちまったんですかね、この鶏。野良犬、野良猫ってのは聞いたことがありますけど、野良鶏なんて、まあみっともない」

と女中頭のお吉がいうように、或る日、気がついたら庭で草を突ついていた。

「捨てられたんじゃありませんかね。縁日かなんぞで、大きくなったら卵をひょいひょいと産むよ、なんぞと調子のいいことをいわれて買って来たひよこが、でっかくなってみたら雄鶏だったたってんで、お払い箱にしちまった。そんなところだと思いますよ」

板前は、ちょいとひねって今夜のお菜にしましょうかと笑ったが、

「冗談じゃない、そんな殺生が出来るものかね。うちのお嬢さんの大事な時だってのに」

お吉に一蹴された。

るいが妊《みごも》ってから、お吉は蚊も蝿も殺さなくなった。魚はまあ仕方がないと思っているらしいが、

「まだ生きてるようなのを料理するのだけはやめておくれ」

と板前に妙な注文をつけ、必ず、

「なむあみだぶつ」

と手を合せてからお膳を運んで行く。

ものもらいが台所口に来れば、自分の巾着の中からいくらかをつまみ出して与えているし、往来の物乞いにも、穴あき銭をおいて来る。神社の前を通れば拝殿へ行き、お賽銭を上げて柏手《かしわで》を打つし、お寺があればお線香を供えて合掌する。

それもこれも、大事なお嬢さんがつつがなく、健やかな赤ちゃんをお産み下さるよう、殺生を慎み、善根をほどこそうと心掛けているせいである。

従って、迷い込んだ鶏の首をひねるなどとは、もっての外で、雑穀屋から餌を買って来て、

「とう、とう、と……」

などといいながら与えていた。

それが或る朝、二羽になっていて、しかも、増えた一羽は雌鶏《めんどり》だったのだ。

おまけに仰天して眺めているお吉の目の前で雄がこけっこっこっと鳴き、雌がぽろりと卵を産み落したのだという。

「これこそ、神仏のお知らせですよ。お嬢さんが、玉のような赤ちゃんをお産みなさいますという前兆《まえじらせ》です」

早速、神棚にお供えして何度も頭を下げた。

ところが、雌鶏は毎日一つずつ卵を産む。

それも庭の草の上だの、植木の根元だの、ところかまわずで、忽ち、お供えの卵が神棚にのり切れなくなった。

流石《さすが》に東吾もるいも、お吉の御愛敬につき合っていられなくなり、

「いったい、どこから迷い込んで来たのだ。近所を聞いて廻ったほうがよくはないか」

嘉助と相談し、店の若い衆が大川端界隈で飼っている鶏がみえなくなったところはございませんかと訊ねたが、かなりの広範囲まで出かけて行ったものの、鶏を飼っている家すらなかった。

「空を飛んで来たんでございますよ。なんてったたって、神様のお使い鶏なんですから……」

お吉は相変らずの極楽とんぼをいっている。そこへ、患家へ出かけた帰りだといって、本所の麻生宗太郎がやって来て話を聞き、

「そりゃあ縁起のよい卵ですよ。くさらない中《うち》に、おるいさんに食べさせて下さい。妊婦はこれからが一番、栄養が必要な時ですからね」

まず、お毒見をと、自分が一つを割って食べ、

「これは旨い。上等の卵です。せいぜい、神様からの下《くだ》されものと思って、召し上るとよろしいですな」

相変らず剽軽《ひょうきん》なことを真顔でいって帰って行った。

お吉は毎日、盛大に餌を与え、鶏は大きな卵をきちんきちんと産んでいる。

一日、江戸の町を秋雨が黒く濡らした翌日に、畝源三郎が「かわせみ」へやって来た。

東吾は講武所から帰って来たところで、

「いったい、どこへ行っていたんだ。昨日、長寿庵の若い奴が、親分は旦那のお供で遠出をしているといったんで、少々、気にしていたんだぞ」

嬉しそうに出迎えた。

「遠出といっても、たいした所ではありません。二日ばかり、豊島村から下日暮の里、それに川むこうの西新井大師の近くまで歩き廻って来たのです」

それが、釣鐘の盗難だといった。

「お寺社のほうから頼まれたのですが、どうも、今年の春あたりからあの附近の寺の釣鐘が頻々《ひんぴん》と盗まれているのです」

「釣鐘泥棒だと……」

東吾が大声でいい、酒の燗をはじめたるいが笑い出した。

「そんな酔狂な……。あんな重いものをどうやって……」

源三郎が真面目に応じた。

「実際、どうやって盗んだのかと、首をかしげたくなるようなのですが、廻ってみると、十個近くが盗られていたのです」

「坊さんが金に困って売りとばして、泥棒のせいにしたんじゃないのか」

と東吾。

「十軒からの寺の坊主が気を揃えて、釣鐘を売りとばしますか」

第一、盗まれた釣鐘は大小さまざまだが、由緒因縁のあるのは一つもなかったという。

「大体がごくありふれたものでして、格別、古くも新しくもないのです」

「しかし、仮にも釣鐘が盗まれるというのに、その寺の連中は、ぼんやり眺めてでもいたのか」

「釣鐘は坊さん達の知らない間に消えていたのです」

「盗られたのに気がつかなかったのか」

「左様です」

「無住の寺か」

「それも二軒ばかりはありましたが……」

小さな寺で平素は住職が住んで居らず、檀家に呼ばれたりするとやって来る。

「鐘を盗んで行くのを見た者はいないのか」

小さいといったところで釣鐘は釣鐘であった。

「ちょいと、懐中に突っ込んで行けるものじゃなかろう」

「一軒だけですが、夜中に寺の近くを通りかかった者が、見知らぬ男達に、鐘の上の柱にひびが入っているというので、取り替えているといわれたそうで……つまりは、それが泥棒だったわけです」

「おかしいと思わなかったのか。夜中にそんな仕事をするわけがない」

源三郎が苦笑した。

「そいつは親類の祝言の席に招ばれて行ってひどく酔っぱらっていたらしいのです。で、なんとも思わず家へ帰って寝てしまい、翌日、家の者からお寺の釣鐘がなくなったそうだと聞かされて、前夜のことを思い出したというようなわけで……」

「仕様がねえな」

るいが酒を勧めながら訊いた。

「どうして、釣鐘なぞを盗むのでございましょう」

「それがわかると助かるのですが……」

売りとばせばいくらかの金にはなるだろうが、忽《たちま》ち足がつく。

「それに、十個からの釣鐘が何故、必要なのか」

とにかく、明日から又、鐘を盗まれた寺を洗ってみるという源三郎に東吾がいった。

「面白そうだな。なんなら、俺も行ってみようか」

軍艦操練所はこのところ、実地訓練が主になっているが、明日の訓練に東吾は入っていない。

東吾の申し出に、源三郎は正直に嬉しそうな顔をした。

翌日、約束通り、豊海橋の袂へ行くと、すでに長助が指図をして猪牙《ちょき》が舟着場へ寄せてあり、畝源三郎と東吾の到着を待っている。

「これ、道中のおしのぎとお弁当ですからね。そちらは番茶で、こっちはお酒ですよ」

東吾を送って来たお吉が「かわせみ」の若い衆に持たせたいくつかの包を舟へ積み込んで、

「お嬢さんが御心配なさいますから、あんまり危いことはなさらないで下さいまし」

東吾に念を押し、遅れて来た源三郎にも頭を下げた。

船頭が竿を取り、猪牙はまだ早朝のさわやかな川面をゆっくりとすべり出す。

彼岸すぎからだらだらと降り続いていた雨も一昨日で終ったらしく、空はよく澄んで日ざしも穏やかであった。

「午頃になると、かなり暑くなるかも知れません」

と、長助は用心深く、三人分の笠を積んで来ている。

この時刻の大川は、下《くだ》り舟のほうが多かった。

上流の村々から取れたての野菜を積んで売りに来るので、土のついた大根や菜、それに枝豆だの芋だの、大きな籠に山積みにしている。漕いで行くのは百姓で、大方が一人で乗っている。

東吾が「かわせみ」に居ついている二羽の鶏の話をしている中《うち》に大川橋がみえて来た。

大川はこのあたりから普通、浅草川とか宮戸川などと呼ばれ、更に上流へ行くと隅田川と通称される。

「それにしても、釣鐘を盗むって申しますのは、悪い了見で……」

これまで聞いたこともないと長助がいった。

「どこのどいつが、そんな罰当りなことをしでかしますのか……」

「神も仏も怖れぬ連中が増えて来たからなあ」

つい、東吾が慨歎したのは、幕閣の要職にある人々が将軍の継嗣をめぐって二派に分裂し、これまで開明派と呼ばれる官僚によって進められて来た幕府の方針が一頓挫するやら、ひっくり返されるやらで、下の者にとっては朝改暮変の日が続いている。

そのために血の気の多い者は立腹して仕事を放り出し、真面目な者ほど、やる気を失っていた。

東吾は生来の鷹揚さで、そのどちらにもつかないが、幕府の行く末を考えると、どうも気が重くならざるを得ない。

しかし、それを軽はずみに口に出す男でもなかった。

「世の中が変って来ると、風変りな盗っ人も出て来るんだろう」

川は千住大橋のところで大きく蛇行し、今までとは逆の方向へ進む。

ここまで、川の左の方角にあった東叡山寛永寺の御山内が、今度は舟の右になるのだが、東吾達の乗った舟は千住大橋でむきを変えて迂回する形になるから、相変らず、舟の左方向が上野の御山という恰好になる。

もっとも、川の両側は全くの田畑で町屋はまるで見当らない。

左岸にぽつんぽつんと寺らしい建物がみえて来た。

「手前から阿比院、そのずっと先に万光寺、それから慶蔵院、ちょいと離れて地蔵寺、宝蔵寺、願正寺で……」

源三郎が書いたのをみながら東吾に説明した。

地蔵寺、宝蔵寺、願正寺は三軒が並んでいるが他は少々、距離がある。

「釣鐘をやられたのは……」

「今、申した中では、阿比院と万光寺です」

源三郎が船頭にもう少し行けと命じた。

「今から見えて来るのが延命寺で、ここもやられました」

更にその先を行った福正寺も被害に遭ったし、舟からはみえないが、豊島村の渡場を上って行ったところの西福寺の梵鐘も盗まれたという。

船頭に源三郎が命じて猪牙をつけさせたのは豊島村の渡場の向い側、沼田村の渡場で、このあたりは、昔、白木屋の番頭が行方知れずになった事件で、東吾は源三郎や長助と来たことがあった。

岸へ上り、村の道を少しばかり行くと沼田村の延命寺がある。

「同じ延命寺でございまして、対岸の延命寺のほうは坊さんが居りません」

なにかあれば、沼田村のほうの延命寺の住職が出かけて行く。

「こっちの延命寺もやられたのか」

鐘楼に鐘がなかった。

「実は、ここなのですよ。男達が鐘楼にいるのを、村の者がみたと申すのは……」

太郎吉という小作人で、この先の宮城村に住んでいるとき、東吾は会ってみたいといった。

藁葺き屋根の小さな家で、太郎吉は家の前の田圃で刈り取ったばかりの稲を束ねていた。

源三郎達の姿をみると肩を落し、うなだれる。

「何度も厄介をかけるが、念のために例の釣鐘の件で訊ねたい」

いくらか優しい調子で源三郎がいい、東吾が早速、訊ねた。

「お前は親類の祝言に出かけて行った帰りに延命寺の前を通りかかったというが、その親類の家はどこなのだ」

「川むこうの石不動の近くで……」

長助がささやいた。

「御鷹匠屋敷の先で、駒込の吉祥寺の裏になります見当で……」

「すると、川を舟で渡ったのだな」

「へえ」

「夜更けに船頭はいたのか」

「居りませんが……」

太郎吉が情なさそうに東吾をみた。

「俺は舟が漕げるでね」

豊島村と沼田村へ通う渡し舟は昼は船頭がいるが、夜は舟だけがつないであるといった。

「豊島村の渡場に一艘、沼田村の渡場に一艘、どちらも急場の用のためにおいてあるそうです」

太郎吉は宵の口に沼田村から豊島村へ自分で漕いで渡り、帰りはその舟を使って沼田村へ戻って来た。

「舟が漕げるということは、それほど酔っていなかったんじゃないのか」

「いやあ、酔ってても、舟ぐれえは漕げる」

「沼田村の舟着場に、お前の乗って来た舟の他に、別の舟がもやってなかったか」

「そんなのはなかったです」

「断言出来るか」

「あそこは狭いから、他の舟が着いているとこっちの舟を寄せるのに苦労する。俺は苦労なしに舟を着けたで……」

「では、延命寺の鐘楼にいた男の顔はおぼえているか」

上にいた連中の顔は遠いし、暗くてわからなかったが、自分に声をかけた男は大体、見ればわかるだろうといった。

「お前、提灯を持っていたのか」

「いや、月だけだ。それも三日月で……」

「それで顔がみえるのか」

「百姓は夜目がきくでね」

ただ、相手の男は顔をうつむけるようにしていたといった。

「それでも、見えるものは見える」

いささか得意そうであった。

「むこうから声をかけて来たといったな」

「へえ」

「お前が立ち止って鐘楼をみたからか」

「声をかけられて立ち止っただ」

「鐘楼のほうも、灯なしで仕事をしていたのか」

「そうだ。灯があれば、気がつくでね」

「そうすると、むこうはお前が来るのに気がついて、近づいて来て声をかけたのだな」

「へえ」

「鐘楼の上に、人は何人いた」

「五人だと思ったが……」

「夜更けに、鐘楼の修理をするのはおかしいと思わなかったか」

「酔ってたで、そこまで気が廻らなかったです」

それについては延命寺の坊さんにさんざん叱られたと面目なげであった。

宮城村の川っぷちを歩いてみると、川に対して崖になって居り、渡場の他に舟を着けられるのは、千住大橋と沼田村の渡場のまん中あたり一カ所だとわかった。

宮城村から西新井大師まではひたすら百姓地で見渡す限り田と畑である。

「川むこうでやられたのは五軒だな」

阿比院、万光寺、延命寺、福正寺、西福寺である。

「釣鐘の大きさは、どんなものだ」

「西福寺のが一番大きいそうで、それでもここらあたりの寺ですからたいしたことはありません。他の四つは釣鐘としてはかなり小さいもののようですが……」

それでも一人でひょいと持てるというわけには行かない。

「舟に積めるかね」

長助が答えた。

「小さい釣鐘で、舟がまあしっかりして居れば乗りましょう」

「沼田村の延命寺のは無理だろうな」

鐘楼の大きさからして、かなり立派だったに違いない。

「盗まれたのは、十個だったな」

源三郎が笑った。

「正確には九個でした」

「残りの三個は、川のこっち側か」

西新井大師の先のほうの寺だといわれて、東吾はそっちへ向った。

三軒とも、各々に離れていて遠かった。

盗まれた梵鐘は上等のものではないが、比較的、古くて大きかった。

そんなに大きな鐘が盗まれたのに、坊さんが気づかなかったのは、御府内と違って田舎の寺は無人のせいだったからのようだ。

本堂や敷地が広いわりには、住職一人に小僧が一人などというのが珍しくない。

また、鐘楼と方丈が案外、遠いというのも一つの盲点に思われた。

「いってみりゃあ、年をとった坊さんと丁稚みたいな小坊主だろう。夜は早いし、寝てしまえば、滅多なことでは目もさましはしない。泥棒にとっては、案外、気楽な盗みだったかも知れないな」

仮にみつかったとしても、酔っぱらって釣鐘の重さをためしてみたのだなぞといいわけがきかなくもない。誰も、よもや釣鐘を盗むとは思いもよらないに違いないので、それにしても、いったい、なんの目的で釣鐘を盗んだのか不思議な話であった。

沼田村の渡場へ戻る途中、宮城村の川岸へ出た。

田畑の中に煙の上っているのがみえた。

「瓦を焼いているそうです」

この前、来た時に土地の者に聞いたと長助がいった。

「今戸のほうでやっていたんだと申しますが、だんだん家が建て込んで来たので、こっちへ引越して来たようで……」

たしかに瓦を焼く大きな窯のようなものがみえる。人影がちらちらしているのが職人だろう。

その近くに百姓家があった。

女の子が鶏に餌をやっている。

「ここらあたりは田舎でございますから、鶏を飼っている家は、いくらもあるようで……」

まさか「かわせみ」へ来た迷子鶏はこんなところから来たのではあるまいと冗談をいいながら、東吾達は待たせておいた猪牙へ戻り、再び、川を下って行った。

ない。

二

釣鐘泥棒は、一向に埒があかないようであった。

東吾にしたところで、一日がかりで豊島村まで出かけて行っても、皆目、見当がつかない。

秋の陽の当る居間で、東吾はるいが赤ん坊の肌着を縫っているのを眺めていた。

今までにも、るいやお吉が赤ん坊の肌着や襁褓《おしめ》を縫っていることはよくあった。が、それは大抵、「かわせみ」へ持ち込まれた厄介な事件で、止むなく赤ん坊の面倒をみなければならなくなった場合であり、それを見た所で、東吾がなにを考えるというものでもなかった。

しかし、目の前のるいが縫っているのは、間違いなくやがて誕生するであろう、自分達の子のものだということが、東吾には感慨深かった。

或る時期、もうあきらめていた。

子供というのは、どんなに欲しいと思っても、出来ない時には出来ないと、東吾にしても兄夫婦をみているから悟らざるを得なかったので、男と女が縁あって夫婦になるのは、必ずしも子供を作るためではないと承知していた。自分達に子供のない分、周囲の子供達に出来ることをしてやればよいと割り切っていた東吾にしてみれば、正直のところ、自分の子が生まれて来るのだといわれてもなかなか実感にならない。

その点、女は妊ったと知った時から、母親になるのだろうと思う。るいが針の手を休めて、東吾をみた。

「お茶でも、差し上げましょうか」

東吾が苦笑した。

「いや、いい」

「考えごとをしていらっしゃいましたの」

立ち上って長火鉢の前へすわり直した。

急須に茶をいれ、鉄瓶を取ろうとするのを、東吾が遮った。

「宗太郎が重いものを持たせるな、といったぞ」

「重い中《うち》に入りませんよ」

落付いた手つきで茶を夫婦茶碗に注いでいる。

「豊島村の釣鐘泥棒ですけれど、盗んで来た釣鐘をどこにしまっているのでしょう」

九個もの大小の釣鐘を人目につかずに置いておく場所となるとかなり限られて来るのではないかと、るいがいう。

「赤ん坊の肌着を縫いながら、そんなことを考えていたのか」

胎教によくないぞと東吾はいったが、確かに釣鐘の置き場所というのは、一つの目のつけどころだと思った。

豊島村はもとより、対岸の沼田村、宮城村の一帯は代官所からも人が出て、畝源三郎の捜査に協力している。

農家の庭だの、畑や空地はしらみつぶしに調べているし、目につかないほうがおかしい。

「武家地は支配外といったって、あの辺は田畑と百姓家と寺ぐらいしかありゃあしないんだ」

寺は多少、敷地があるが、

「増上寺や寛永寺とは違うんだ。釣鐘なんぞかくしようがない」

るいはなにを考えているんだ、と東吾が訊き、るいが掌に抱いていた茶碗へ視線を落した。

「たいしたことではありません」

「いいからいってみろよ」

それでもためらっているるいをみて、東吾は机の上から半紙を取り、筆でざっと豊島村の絵図を描いた。

まん中に川が一筋、左右の岸辺は町方支配の豊島村、下日暮の里と、代官所支配の沼田村、宮城村に分れる。

「るいのいうように、盗人が釣鐘をかくしているとしたら、俺は代官所支配の宮城村、沼田村側ではないかと思うんだ」

身贔屓でいうわけではないと断って続けた。

「町方支配の豊島村、下日暮のほうは源さんが指図して徹底的に聞き込みをやっているし、長助の話だと農家の納屋や寺院の床下まで改めているらしい」

代官支配地もそれなりに手を尽している筈だが、

「とにかく、あっち側は家屋敷がないんだ。見渡す限り、田圃と畑、あとは鐘を盗られた寺ぐらいのものでね」

いってみれば、探しようがない。

「俺ですらそう思うのだから、代官所のお手先なんぞは、一度廻ったら、もう馬鹿馬鹿しくて探す気にもなれないだろう。盲点があるとすりゃあ、そっちだと思う」

もう一つは釣鐘だといった。

「代官支配地のほうの寺から盗まれた釣鐘は、もののいい悪いは別にして、みんな、けっこう大きいんだ」

渡し舟程度の舟にのせて対岸へ運ぶのは、危っかしい。

「といって、大八車に乗せて対岸へ運ぶとなると、どうしても千住大橋を渡ることになるんだ」

千住は江戸四宿の一つで、東北への往還には重要な江戸の玄関口でもある。

宿場はそれなりに繁華だし、宿役人もいる。

「例えば、夜にしても飯盛女が遅くまで客を呼んでいるだろうし、吉原とまでは行かないが、岡場所並みに不夜城だ。そんな所を釣鐘を積んだ大八車が通って見とがめられないわけはない」

　とすると、川を渡す可能性が強い。

「下日暮や豊島村側の寺から盗まれた釣鐘は比較的、小さいんだ。舟に乗せられないこともない」

　それに、どこへかくすにしても代官所支配地のほうが無防備だと、東吾も思う。

「しかしなあ、あの辺、俺もぐるぐる歩き廻ってみたんだが、これといって……」

　庭のほうで、お吉がなにか大きな声でいっているのが聞えた。

　縁側から東吾が出て行ってみると、お吉は大川の岸辺で物売り舟の男といい争いをしている。

「どうしたんだ」

　東吾が声をかけると、

「すみません。今朝からうちの鶏さんの、雄のほうがみえなくなっちまって、探していましたら、この人の舟の上にいたんです。それで、うちの鶏だっていったら、この人が、いろいろと変なことをいうもんですから……」

　口をとがらせていいつけた。

　お吉を制して、東吾は途方に暮れたような舟の上の若い男に笑顔をみせた。

「聞いての通り、うちで飼っていたのが一羽、みえなくなったらしいんだが、その鶏はあんたのものなのか」

雄の鶏は、舟の上の籠からせっせと青菜をついばんでいる。

「俺のものではねえです」

当惑し切った声であった。

「したが、こちらの鶏でもねえと思います」

自分の舟に鶏が乗っているのに気がついたのは向島を過ぎてからだという。

「大川橋の手前の、花川戸で、いつも買ってもらう家へ舟を着けた時、そこの女中さんに教えられて……」

その鶏も売り物かい、といわれて、はじめて籠と籠の間にしゃがんでいた鶏に気がついたのだと手ぶり身ぶりをまじえて説明した。

「成程、浅草ですでに舟にいたのなら、うちのじゃないな」

東吾が納得したのをみて、若い男はほっとしたようであった。

「それにしても、鶏がいつ、あんたの舟に乗り込んだのか、あんたは知らなかったわけだな」

若い男が気味悪そうな顔をした。

「ここんとこ、仲間から似たような話を聞かされていたんで……。ですが、まさか、俺の舟に乗っていようとは思わなかったです」

東吾は聞きのがさなかった。

「他にも、鶏が舟に乗って来たって話があるのか」

「隣村の松吉の舟に乗っていたそうで……。松吉はまさか首ひねるわけにも行かねえし、もし、村の誰かの鶏が乗って来たんだといけねえと、空籠を伏せておいたそうだが、あっちこっちで商売している中《うち》に気がついたら居なくなっていたちゅうことです」

「あんたはどこから商いに来るんだ」

「本木村だが……」

西新井大師へ行く道にある村だと聞いて、東吾は一足ふみ出した。

「すると、舟を着けるのは……」

「宮城村の瓦焼きの孫三爺さんの家の近くだ」

東吾の瞼に白く流れていた煙が浮んで来た。

「孫三というのが瓦を焼いていたのか」

「そうだが、年をとったで、今は他の者が焼いている」

「跡継ぎの悴《せがれ》なんぞはいないのか」

「与作というのがいたが、極道者で一年前に川へ落ちて死んだだ」

聞くだけのことを聞き、東吾はその足で八丁堀へ行った。

畝源三郎は屋敷にいて、寺社係から取り寄せたというおびただしい寺の記録を読んでいる最中であった。

「盗まれた釣鐘が、いつ、誰によって寄進されたのか、その時の値はどのくらいだったのかを調べているのですが……」

どうもこれといって不審な事柄は出て来ないという。

物売り舟の鶏の話をすると、頭をひねった。

「東吾さんはその鶏と釣鐘泥棒が結びつくとお考えなんですか」

「そこまでは自信がないが……」

気になる点がいくつかあるといった。

「知らない中《うち》に自分の舟に鶏が乗っていたという物売り舟は、みんな、孫三爺さんの家の近くの舟寄せから舟を出しているんだ」

舟は勿論、川に繋留してあって、荷車などでその朝、畑から収穫したばかりの野菜などを舟へ運び、積み込んで下流の江戸の町まで売りに来る。

「もし、誰かが、故意に鶏を舟に乗せるとすれば、商売物を舟に積んでいる最中が一番、容易だろう」

「なんのために、そんなことをするんですか」

問いかけながら、源三郎の目も光を帯びて来ている。

「例えば、悪人によって閉じこめられている人間が、誰かにそのことを知らせようとして、窓の外の道へ、悪人の目を盗んで何かを落すってことはあるだろう」

つまり、自分からは逃げることも、訴えることも出来ない立場におかれている人間が、他人に異常を知ってもらいたくて、その手段に鶏を使っているのではないか、と東吾はいった。

「少々、乱暴な考え方だとは思うんだが、俺は瓦焼き職人の孫三というのの悴が極道者で、一年前、川に落ちて死んだといった話にひっかかるんだ」

瓦焼きの仕事は、他から男が来て続けているらしい。

「もう一つ、俺はこの前、宮城村へ行った時に、十二、三の娘が鶏に餌をやっているのを見た」

「手前も、見ました」

「あれは、瓦焼きの窯に近い百姓家の庭で、そのむこうは、宮城村の舟着場じゃあなかったのか」

源三郎が決断した。

やはり、盗まれた釣鐘は、孫三の瓦焼きの小屋の中にあったが、それらはすべて不細工に鋳潰《いつぶ》されていた。

「世の中には、とてつもないことを考える奴がいるものですな」

「かわせみ」へ来て源三郎が語ったところによると、その一味は盗んだ釣鐘を鋳潰して、横浜へ持って行って売るつもりだったという。

「横浜にそういう商人がいると申すのです。いくらでも買ってやると、首領の荒次郎にいったというのですが……」

釣鐘泥棒の首領の荒次郎というのは、上方で鉄砲職人をしていたことがある。

「お定まりですが、女で身をあやまって諸国を逃げ廻り、横浜で荷揚げ人夫などをしていた時に、そういう話を小耳にはさんだとか」

たまたま、悪所で知り合ったのが、孫三の悴の与作であった。あとの仲間は凶作で東北の村から出てきた無宿人ばかり。

「まあ、そういってはなんですが、智恵より力のある連中でして……」

具合のいいことには田舎育ちは夜目がきく。

「深夜に、たいした明りがなくとも、釣鐘をはずすなんぞといった作業が出来たのです」

盗んで来た釣鐘は、瓦焼きの窯を造り直したもので鋳潰して形骸をとどめないようにしてしまう。

「与作はともかく、孫三は奴らから脅されて働かされていたわけです」

与作が川へ落ちて死んだというのも、仲間と喧嘩をしたあげく、殺されたもので、与作の女房のおいちというのは、とっくの昔に、与作が借金の抵当《かた》に岡場所へ売ってしまい、娘のお里は五つの時から祖父母の手で育てられていた。

「我々が鶏に餌をやっている姿を遠くから見たのは、お里でして、爺さんは父親が連れて来た悪者どもにこき使われている。おまけに悪者どもから下手なことを世間へ洩らしたら命はないと脅かされているから、うっかり訴人も出来ない。その中《うち》にどうやら父親も殺され、お前達も逆えばあの通りだといわれて、いよいよ慄え上った」

しかし、あの子はしっかり者でした、と源三郎がいい、東吾もうなずいた。

「鶏を舟に乗せたのは、お里だったんだな」

「大事な鶏が減って行くのは、身を切られるほどつらかったと申していました。しかし、あの子は、誰かがおかしいと気がついてくれるのを、死物狂いで待っていたんです」

「それにしたって、釣鐘を鋳潰して、いったい、何を作ろうってんだ」

源三郎が眉をしかめた。

「大砲《おおづつ》の弾だと申すのです」

「なんだと……」

「横浜へ手配書が廻った時には、もう、相手は風をくらって逃げてしまったのですが、荒次郎の申立てでは、間違いなく大砲の弾を作るのだといっていたとか……」

「釣鐘ってのは、銅だろう」

「鉄のもあるそうです」

「冗談じゃねえな」

「御時世だと思いませんか」

いろいろな泥棒を捕えたが、梵鐘を大砲の弾にするために盗んだというのは、前代未聞だと源三郎は歎いた。

「全く、油断もすきもあったものではありません」

「驚いたなあ」

顔を見合せて、笑うにも笑えない。

首領の荒次郎は与作を殺していることもあって縛り首になり、他の一味は遠島と決って一件落着した。

そして数日後、源三郎と長助が舟で「かわせみ」へやってきた。

ぼつぼつ還暦という老人と、まだ子供っぽさの失せ切れないような娘が、鳥籠に二羽の鶏を入れ、それを舟に積んで宮城村から出てきたのだという。

実をいうと「かわせみ」では長助に頼んで、鶏を孫三の許へ返していた。

それがお里の飼い鶏で、いずれも舟に乗せられ、たまたま逃げ出して「かわせみ」の庭にいたのだと判ったからである。

「こちらの旦那様が気づいて下さいまして、手前どもは盗っ人の手から助け出されたわけでございます。御礼と申すほどのことでもございませんが、孫が御迷惑でも、是非と申しますので……」

孫三が何度も頭を下げ、お里が抱えている一羽の頭を撫でた。

「これは、まだ若くて、いい卵をしっかりと産みます。どうぞ、もらって下さい」

東吾が心から礼をいった。

「うちの内儀さんは、やがて赤ん坊を産む大事な体なんだ。いい卵は滋養になる。有難く頂いて大事に飼うことにするよ」

るいがそっと渡した金の包を、娘の懐へすべり込ませた。

「家で待っている婆さんに、土産でも買って行くといい」

老人と娘の舟には長助が乗った。

深川を案内して、なにか好きなものを食べさせて帰すという指図が、源三郎から出されていたらしい。

「かわせみ」の庭から続いている大川の岸辺で、東吾と源三郎、るいとお吉が孫三とお里の舟を見送った。

「さあ、お嬢さんは、大事なお体ですから、いつまでも風に当っていてはいけません」

お吉がるいの手をひいて戻って行くのを眺めて、源三郎が小さくいった。

「これからは、東吾さんの所に、あまり事件の話を持ちこまないように気をつけますよ。おるいさんのお腹の赤ちゃんに、悪い影響を与えるといけません」

東吾が生真面目な友人の顔へ視線を向けた。

「そんなことをいったら、源さんのところはどうなる。御新造が身重の体だからといって、源さんが昼寝をしているわけにも行くまいが……」

「手前は、外での話は一切、女房には話しません。ですが、お千絵は手前が屋敷へ戻って来るまで随分と心配をしているようです。それでも、源太郎とお千代と、二人の元気な子を生んでくれたのですから、有難いと思っています」

「結局、のろけを聞かせたかったんだな」

大笑いをして、東吾は竹馬の友の肩を叩いた。

「るいだって八丁堀育ちだ。遠慮はいらない。いつでも声をかけてくれ」

講武所の仕事も、軍艦操練所も、決していやだとは思わないが、

「俺には、源さんの手伝いをしている時が、一番、自分らしいと思えるのさ」

大川は秋の陽に染っていた。

遠く河口のほうに、なんの鳥か群がっている。

江戸の、如何にも江戸らしいこの光景が、いつまでこのまま続くのか、身近かに時代の動く音が迫って来ているような日々を思い知りながら、東吾と源三郎はそれを口に出さず、大川の流れをみつめていた。

月夜《つきよ》の雁《かり》

一

この年の夏、江戸は猛暑であった。

その故か、秋風が吹くようになっても、るいの食欲が今一つで、当人も食べなければと努力をし、お吉が板前と相談して、見た目にも食欲が湧きそうで、口当りのよいものはないかと苦心しているのだが、無理をして口に入れると必ず、あとがよろしくない。

たまたま、近くの患家へ寄った帰りだという麻生宗太郎が「かわせみ」へ立ち寄って、るいの状態をみ、

「この秋は、おるいさんのような症状の人が多いのですよ。暑さで内臓が疲労しているせいで、あまり心配する必要はありませんが、いい薬があるので、あとで届けますよ」

といってくれたのに、

「忙しい名医に、わざわざ届けさせちゃあ気の毒だ。俺がついて行ってもらって来よう」

東吾が早速、腰を上げた。

日頃から女房に甘いと自他共に認めているのが、妊ったと知って以来、折紙つきの女房孝行になっている。

宗太郎のあとについて、颯爽と出かけて行く東吾を、嘉助とお吉も嬉しそうに見送った。

「人間というのは、したたかな反面、もろいものだと思いますよ。昨日まで奉公人を叱りとばし、我が家の関白太政大臣とばかり、女子供を睥睨《へいげい》していたのが、朝方、厠で倒れてそれっきり三度の食事も下の世話も、女房の手を借りなければならなくなるなどというのは、実に因果な話です」

永代橋を渡って深川へ入りながら、宗太郎がいった。

「だから、日頃から女房を大事にしろという説教か」

これから、その女房の薬をもらいに行くのだから、東吾は威勢がいい。

「自慢するわけじゃないが、俺はるいが身重になってから、縦のものを横にもさせないぞ」

早い話が、外から帰って来て、今までは大小をるいが受け取って刀掛へ運んでいたが、「重いものを持つのはいけないというから、自分でやることにしている」

「当り前ですよ」

宗太郎が笑った。

「東吾さんの刀はとりわけ重いんですから、妊婦に持たせるのは剣呑《けんのん》です」

縦のものを横にもさせないと威張っているが、

「今日もみていると、着替えだ、足袋だ、懐紙だと、みんな、おるいさんの世話になっているじゃありませんか」

一々、女房の手を煩わせず、自分のことは自分でしておかないと、

「お産のあとは、暫く、おるいさんもお吉も赤ん坊にかかりきりになりますからね。俺の足袋はどこだ、下帯だ、襦袢だとおたおたすることになりますよ」

と脅すような顔をする。

「そいつは、宗太郎の経験か」

「まだ体の動かせない女房が、あれこれと気を使うのはかわいそうですよ。第一、お乳の出にもよろしくない」

「妊婦というのは、大変だな」

「男は大体、覚悟が足らんのですよ。お産は女房まかせで我関せずの亭主がまだ多すぎますな。誰の子を産むのでもない、御亭主の子なんです。十カ月も腹の中で育て、産む時は一つ間違えば命にかかわるかも知れない苦しみを経て、一つの生命が誕生する。亭主たる者、手をつかねてみているだけではいけません」

「何をするんだ」

「大いに女房をいたわることですな」

「いたわっているよ」

「女房が妊っている最中に、他の女と間違いを起すなどというのは、男の風上にもおけません」

「俺が浮気なんぞするものか」

いってしまって、東吾は少々、照れた。

浮気というのには程遠いが、もののまぎれのように一人の女と契りを結んだことを知っている友人であった。

そうした東吾の気持を故意に無視したように、宗太郎が続けた。

「秋が深くなったら、房事も少々、慎んだほうが無難ですよ」

「なに……」

「今も、過激なのはいけません」

「医者って奴は、凄いことをいうもんだな」

「大事なことなのですよ。赤ん坊が生まれてくるというのは、いい加減なものではないのです」

「わかった」

東吾も真面目な目になった。

「るいの奴、大丈夫かなあ」

「そう心配することはありません。高橋宗益先生も、みかけは華奢だが、健康だとおっしゃっていました」

「気やすめじゃないだろうな」

「産み月になったら、座敷に豆をまいて拾って歩くといいといいますよ」

「なんのまじないだ」

「胎児が下って来るようです」

なにをいわれても、東吾は素直にうなずき、宗太郎はそんな東吾を可笑しそうに眺めながら、本所の屋敷につくまで、妊婦の亭主心得を並べ立てた。

麻生家へ着くと、すぐに花世がとんで来て、

「小父様、ようお出でなさいました」

丁寧にお辞儀をしたと思ったら、

「とうたま」

と、首っ玉にしがみついた。

で、ずっしりと重くなったのを抱き上げて宗太郎の後ろから庭へ出てみると、十五、六だろうか、見馴れない少年が干してあった薬草を桶にしまっている。東吾をみると丁寧にお辞儀をした。

「丑之助といいましてね。中川の岸辺の亀有という所の百姓の悴《せがれ》です」

この節、麻生家の庭だけでは栽培が間に合わないので、知り合いの百姓に委託して畑で育ててもらっているといった。

「取扱いの難しいものや、特殊のものはそうは行きませんがね」

宗太郎の実家の天野家では江戸川橋のむこうに広大な薬園を持っているが、

「あそこで栽培しているのは、とても素人の手には難しいのです」

もっとも、丑之助の父親にまかせる時も、一応、宗太郎と天野家の薬草係が亀有まで出むいて行って指導をして来たのだという。

少年は目許に力があり、きびきびした感じで宗太郎のいうことを聞いている。が、身なりは貧しかった。洗いざらしの木綿の着物に継《つ》ぎの当った股引で藁草履という恰好である。

七重が迎えに来て、東吾は花世を抱いたまま、居間へ行った。

「東吾様、少し、花世を叱って下さいまし。私がいくら申してもききませんの」

相変らず琴の稽古は怠けるし、手習も気がむかないとやらない。

「父が甘やかしますので……」

花世が口をとがらせた。

「お母様が意地悪をおっしゃるのです」

七重から湯呑茶碗を受け取りながら、東吾が笑った。

「どんな意地悪だ」

「とうたまのお家は、赤ちゃんがお出来になるから、行ってはいけませんって……」

「ああ、そういうことか」

舌が廻らなかった時分に、東吾のことを、とうたま、と呼んでいたままに花世は仔犬のように東吾の膝にすわり込んでいる。

「たしかに、とうたまの所にも赤ちゃんが生まれるんだ。しかし、だからといって、花坊が来て困ることはないぞ」

「いけません。おるい様の御負担になりますもの」

「別に、るいと相撲をとるわけじゃない。あんまり気を使うなよ」

なんなら、これから「かわせみ」へ連れて行ってやってもいい、と花世にいった。

「その代り、お母様のいうことをよくきいて、お琴の稽古もちゃんとしなければいけないよ」

東吾の言葉に、花世は神妙に、はいといい、それから両手を叩いてはね廻った。

「どういうんでしょう。この子は、東吾様のおっしゃることだと、なんでも素直にきくというのに……」

苦情をいいながらも、七重は立ち上って次の間へ行き、花世の寝巻や着替えの肌着などを出している。

「一晩泊めたら、明日、俺が送って来るよ。ちびだって、たまには外の世界をのぞいてみたいのさ」

母親に弁解しながら、東吾は考えていた。武士の家はとりわけ、嫡男を大事にする。麻生家にしても例外ではなく、小太郎が誕生してから、どうしても姉の花世より、弟の小太郎を中心にするような雰囲気が出来上っていた。花世は幼いながら、賢くて、そうした武士の家のけじめといったものを漠然と感じていて、決してひがんだり、反抗したりはしないらしいが、時にはふっと寂しくなることもあるのだろうと東吾は花世を不愍に思った。

子供を持ったことのない東吾に、そんな花世の気持がわかるのは、自分も次男で、両親も、決してわけへだてはしていなかったが、それでも弟の兄に対する態度や礼儀などを教えられて、ああ、弟とはそういうものだと気がついた時のなんともいえない感じというのは憶えている。だからといって、東吾もまた、弟という身分を情なく思ったり、ひがんだりしたことはなかった。それ故、花世の微妙な心理に情が湧く。

やがて、宗太郎が薬包を持って入って来た。

「恐縮ですが、東吾さん、丑之助が今川町まで行くのです。江戸の町に馴れて居りませんので、お帰りの時、一緒に行ってやって頂けませんか」

深川今川町は「かわせみ」への帰り道であった。

「対山軒という筆や墨、硯の問屋に、丑之助の妹が奉公していまして、その御主人に頼まれて鯉を持って来ているのです」

丑之助の父親は、百姓のかたわら、中川で獲れる鯉も商っている。

「我が家も先頃、一匹、買いましたが、なかなか美味ですよ。御入用の節は、いつでもおっしゃって下さい」

宗太郎と七重に見送られて、東吾が、小さな包をしっかり持った花世の手をひいて待っていると、裏口から竹籠を下げた丑之助が走って来た。

「それじゃ、東吾さん、よろしくお願いします」

宗太郎の言葉で、丑之助は固くなってお辞儀をし、東吾はうなずいて歩き出した。

「亀有から鯉と薬草を背負って来たのか」

随分、重かったろう、と労《いたわ》った東吾に、丑之助は頰を赤くし、小さな声で、

「馴れているんで……」

と答えた。

「今川町に妹が奉公しているそうだが、年はいくつだ」

「十三です……」

「十三で、もう奉公に出たのか」

「俺達の村では、みんな、そのくらいで奉公に出ます」

花世が、おしゃまな顔でいった。

「花も、十三になったら、とうたまのお家へ奉公に行きます」

「そりゃあ大変だな」

笑いながら上ノ橋を渡ると、そこは佐賀町、長寿庵の暖簾がみえる。店の前で客と立

ち話をしていた長助が走って来た。

「若先生、麻生様からのお帰りで……」

「そうなんだが、今川町の対山軒というのは……」

「この裏でございます。仙台堀に面して居りまして……」

堀きわに立つと、成程、対山軒の看板がみえた。

「ありがとうございました」

丑之助が礼を述べ、東吾は長助にいった。

「この子の妹が、対山軒に奉公しているんだ。亀有から鯉を届けに来てね」

花世がつけ加えた。

「お父様のお薬の草も持って来たの」

「左様で……」

長助は相好を崩し、

「気をつけて行けよ」

といった東吾の言葉に、もう一度頭を下げ、堀端をたどって行く少年のあとを、心得顔について行った。

二

それから五日。

「信州から秋蕎麦が届きましたので……」

と長助が「かわせみ」へやって来て、

「いい所へ援軍が来たぞ」

東吾が嬉しそうに呼びに来た。

「るいの奴が稲荷鮨を食いたいといい出してね、お吉が買って来たのはいいんだが、馬に食わせるほどなんだ」

長助が庭先へ廻ってみると、陽のよく当る縁側に、るいをまん中にしてお吉と嘉助が、広げた稲荷鮨を前にしてお茶を飲んでいる。

「売り手がずるいんでございますよ。もう、たいして残って居りませんから、おまけを致しましょうなんていうもんで、つい、じゃあ残ってる分、全部、買ってあげるからって申しましたら、まあ、あるの、あるの。ですけど、いったん買うって申しました以上、いやともいえませんし、なんでも子沢山で暮しが大変だっていいますもんで……」

たいして困った顔でもなく、お吉が釈明し、早速、長助のために新しい箸と皿と湯呑茶碗を取ってきた。

で、長助も遠慮なく御馳走になりながら、

「こないだ若先生がお連れになった亀有の百姓の悴ですが、あそこの家も六人の子持ちなんだそうでして……」

世間話に加わった。

「総領が十八で、一番下が八つだと申しますから、まあ、親はもう一息というところでしょうが、気の毒なことに、十八の娘が体が弱く、一年中寝たり起きたりで宗太郎先生に診て頂いたそうでございます」

「労咳か」

「いえ、生まれつき心の臓が、並みの人間と少し違っているんだそうで、今のところ、薬じゃ治らねえってことでして……」

一生、力仕事はさせられないし、無理のきかない体なのだと、長助は眉をひそめた。

「それじゃ、家族は大変だね」

嘉助が同情し、

「この御時世で、みんながみんな達者でも、まともに食べて行くのは難しいってのに、病人がいたら、えらいことでございますよ」

お吉がしたり顔でいった。

「あっしもそう思ったんでございますが、宗太郎先生の話では、そりゃいい家族なんだとか。末の八つの小僧まで朝から畑へ出ているってことで……第一、家の中が暗くねえ。そいつがなによりだとおっしゃっていました」

「丑之助というのも、利口そうな子だったな」

東吾がいくら食べても減らない稲荷鮨の山に、あきらめたように箸をおいて、湯呑を取った。

「お卯《う》の、と申します子もしっかりして居りました」

対山軒へ奉公している娘だが、

「十三ってんで、体はまだ小せえですが、気働きはたいしたもので、お内儀さんが大層、可愛がっていなさいます」

佐賀町と今川町は隣合せで、それとなく近所の評判を訊いても、お卯のを悪くいう者はいないと、長助はまるで自分の身内の娘を自慢するような口ぶりであった。

「長助親分も年ですねえ。十三の小娘を贔屓にするようじゃ、もうすぐ御隠居様ですよ」

長助が稲荷鮨に満腹して帰ったあと、お吉が憎まれ口を叩いた時は、なんの気もなく笑っていた東吾だったが、その翌日、長助の持ってきた蕎麦粉を半分ばかり、八丁堀の兄の屋敷へおすそわけに行くと、兄嫁の香苗が他行着姿《よそゆき》でいそいそと出迎えた。

「ちょうどよい所に……もし、おさしつかえがなかったら、深川まで一緒に行って頂けますまいか」

今朝、奉行所への出がけに通之進が深川今川町の対山軒という店に、なかなか良い唐墨があると聞いたので求めて来るようにと香苗に命じたという。

「狸穴の方斎先生の㐂寿《きじゅ》のお祝に、硯を用意したのですけれど、それに添えて差し上げたいとおっしゃるのです」

唐墨のことは一向に不案内でという義姉に、東吾も苦笑した。

「手前も、そっちは全くわかりませんが……」

しかし、松浦方斎への贈物と聞いては、東吾にも責任があった。

兄が松浦方斎に礼を尽しているのは、長年、弟が世話になったことを重く考えている
からでもあろう。

「とにかく、お伴をしましょう」

香苗の乗った駕籠脇について歩きながら話しかけた。

「対山軒というのは、そんなに有名な店なのですか」

「対山軒を御存じですの」

「知っているというほどのことではありませんが……」

道々、亀有から奉公に来ている娘の話をした。いつものことながら、この義姉は義弟
の話を熱心に聞いてくれる。気がついた時は仙台堀で、

「対山軒はこっちだ」

勝手知った顔で東吾は先に立った。

筆墨硯問屋といっても、対山軒は上等のものしかおいていないようで、店がまえは大
きくないが、上品で、出迎えた番頭や手代の応対もしっかりしている。

「唐墨でございましたら、お内儀さんがくわしゅうございますので……」

手代が奥へ入り、桐箱におさめたさまざまの唐墨を持って対山軒の内儀が出てきた。

三十なかばだろうか、とりたてて美人というのではないが、対山軒の店同様、品のよ

い、おっとりとした様子に好感がもてた。

「私が父から教わりましたことなど、お客様のほうが遥かにおくわしいと存じますが……」

遠慮深そうに、しかし、丁寧に一つ一つの墨の特徴を説明する。それを参考にしながら香苗が東吾と相談して、やがて一本の唐墨をえらび出した。

「それはよろしゅうございます。手前共の店で扱って居ります中《うち》でも申し分ございません」

番頭と手代が同意し、早速、薄紙でくるんで箱におさめる。

そこへ奥から主人らしい男が顔を出した。

「これは旦那様、お帰りなさいまし」

と内儀がいったところをみると、今まで他出していたらしい。男は、客に対して軽く会釈してから、

「お卯のが、お前の薬を持ってうろうろしているが、ここへ持って来てもよろしいか。それとも奥へ行くか」

といった。

「それはすまないことを……失礼してこちらへ頂きましょう」

と内儀が返事をしたのは、たまたま、香苗が別の墨を手にとって、これはいいものかと問いかけていたからであった。

それは小さな墨で、表になんの装飾もないが、如何にも使いよさそうであった。

「お目が高うございます。それは大和の墨師の中でも名の通った者の作で、見た目は地味でございますが、色も匂いも唐墨に負けは致しません」

香苗が嬉しそうに東吾をみた。

「ついでと申してはいけませんが、これを旦那様にと思いましたのですけれど……」

「そりゃあ兄上がお喜びになりますよ」

吟味方与力の多忙な日常でも、風雅を忘れない兄であった。

「では、これを別に……」

内儀が礼をいい、それを手代に渡した。

店と奥との間の暖簾をくぐって、女中が小さなお盆に薬湯の入っているらしい筒茶碗をのせて入って来た。すわって内儀の脇へお盆をおこうとして、どうしたものか、あっという間に茶碗をひっくり返した。

「申しわけありません。すみません」

手拭でそのあたりを拭き、茶碗とお盆を持って逃げるように奥へ走る。

「とんだ不調法を……まだ年端も行かぬ子供でございまして……どうか、お許し下さいまし」

内儀が詫びたが、別に薬湯がこっちへかかったわけでもなく、香苗もいえいえと笑っている。

代金を払い、墨の包を風呂敷にくるんで香苗と東吾は外へ出た。

「困った奴だ。お客様の前で、なんということを……」

主人が苦々しげにいう声が聞え、内儀がそれを制している。

「義姉上、手前はちょっと長助に用事がありますので……」

駕籠の中の香苗にいい、お供の中間に気をつけて行くよううながしてから、東吾は長寿庵へ入って行った。

長助は釜場のところにいて、東吾にとって都合がよかったのは、町廻りの帰りらしい畝源三郎が片すみで蕎麦をすすっている。

「これは、とんだ世話場をみられてしまいましたな」

と源三郎が笑い、長助がぼんのくぼに手をやった。

木場で若い衆の喧嘩があり、長助が仲裁に手を焼いているところへ源三郎が通りかかって、双方を丸く収めた。

「そんなこんなで、旦那がお昼を召し上る暇がございませんで、無理矢理、あっしが店へお出で願ったようなわけでして……」

東吾が笑った。

「旨そうだな。俺にも一杯、頼む」

長助が釜場へ声をかけ、自分は源三郎に蕎麦湯を運んで来た。

「何か、長助に御用ではなかったのですか」

源三郎にうながされて、東吾は声をひそめた。

ちょうど蕎麦屋は中途半端な時刻で、客は座敷のほうに老人が三人、ぼつぼつ帰り支度をしている。

「そこの対山軒だが、あそこの主人は江戸者じゃないな」

「在所は神奈川と聞いて居ります」

「入り聟か」

「先代のお内儀さんの遠縁に当るそうでして……」

「すると、内儀が家付娘だな」

「いえ、お内儀さんは先代の旦那の姪なんですが、先代夫婦に子がなかったんで、子供の時に養女に来まして……」

名はお俊、年は三十二。

「主人のほうは善右衛門といい、四十八になる筈でございます」

目と鼻の先の店のことで、長助の返事はよどみがない。

「内儀は商売物にくわしいな」

「そりゃあ、先代が手を取って教えたといいますから……」

当人も熱心で、

「古い硯なんぞの目ききは番頭の吉兵衛より達者だって噂です」

という。

「善右衛門のほうはどうなんだ」

店へ顔を出したが、香苗と東吾に愛想の一つもいえなかった。

「智にしてから先代が仕込むつもりだったんでしょうが、翌年、歿りまして……」

半年ほどあとに先代の女房も他界した。

「番頭がなにかと教えたようですが、どうも素養がねえってんですか、そっちのほうはお内儀さんまかせだそうです」

まあ、古くからの番頭も手代もしっかりしているので、商売にさしさわりはないらしい。

「子供は……」

「今んとこ、出来ねえようで……」

蕎麦湯を飲んでいた源三郎が口をはさんだ。

「いったい、なにが気になったんですか」

「女中が茶碗をひっくり返したんだ」

多分、この前、長助が自慢した、お卯のという娘だろうと東吾がいい、長助が驚いた。

「あの子が、そんな粗相を……」

「わざと、ひっくり返したような気がしたんだ」

「なんでございますって……」

「俺の気のせいかも知れねえんだがな」

ひっくり返したのは、お俊が飲む筈だった薬湯の茶碗だというと、源三郎が蕎麦湯をおいた。

「薬湯に、なにかが入っていたと……」

「そこまでは、わからねえ」

「あのお内儀さんは、たしかに体があんまり丈夫じゃねえようで、日本橋の長命堂から煎じ薬を取り寄せて飲んでいると、番頭から聞いたことがございます」

「夫婦仲は悪くないんだろうな」

「別に、これといって悪い噂を聞いたことはございません。旦那はみたところ田舎者で風采は上りませんが、人柄はいいようで、お内儀さんはあの通り上品で……まあ、病身が難といえば難ですが、寝ついているわけでもございませんし、人並みの暮しをしているようですから……」

番頭の吉兵衛、手代の芳三郎も近所の評判は悪くない。

「俺の思い違いかな」

蕎麦を食べ、まだ長助と深川を廻るという源三郎と別れて、東吾は大川端の「かわせみ」へ帰った。

三

対山軒の主人、善右衛門が鯉こくを食べて血を吐いて死んだという知らせを、東吾が受けたのは、その月の終りであった。

長助が知らせに来て、まっしぐらに今川町へ行ってみると、対山軒は大戸を下し、店の中で源三郎が医師と話をしている。この近くの医者で玄庵といい、こうした事件の時には検屍の手伝いをつとめている。

「鯉こくに当ったのではございません。明らかに毒を盛られたので……」

玄庵が調べたところ、善右衛門の鯉こくの椀の中におそらく石見銀山ねずみとりのようなものが入っていたとつけ加えた。

冬をひかえて、大方の家で天井裏でねずみ衆が、がたごとと走り廻りはじめる季節であった。石見銀山ねずみとりが、どこでも必需品になっている。

源三郎が長助に何かささやき、長助が奥へ行って番頭の吉兵衛を伴って来た。

「お内儀さんは旦那の介抱をして、歿っているとわかったとたんに気が遠くなったようでして、手前が薬をさし上げましたので、ぼつぼつ人心地がつくと思いますが、お調べはあとのほうにして頂いたほうが……」

と玄庵がいったからである。

吉兵衛は顔をひきつらせていた。源三郎の問いに対して、自分の姓名や在所、奉公歴などを答える声が慄えている。

「ところで、善右衛門が食べた鯉こくは誰が作ったのだ」

旦那様がおつくりになりました、という返事であった。

「この家では、主人が台所をしているのか」

「いえ、そうではございません。普段はお内儀さんが女中と一緒になさっていますが、丸ごとの鯉を下すのは苦手でございまして……旦那は鯉こくがとりわけお好きで、神奈川でお暮しの頃から、御自分で鯉を料理しておいでだったとか」

「鯉は誰が持って来たのだ」

「お卯のと申す女中の兄で……実家が中川の近くで、父親が漁を致しますそうで」

「善右衛門は一人で鯉こくを作ったのだな」

「お内儀さんはお卯のを連れて買い物にお出かけで……」

「この店には誰がいた」

「店のほうに、手前と手代の芳三郎と……それだけでございます」

問屋とはいっても、ごく高級品しか扱わない小ぢんまりした店なので、奉公人の数は少いらしい。

「御先代の時は、もう一人、手代と小僧が居りましたが、どちらも昨年、暇を出しました」

という。

「商売はうまく行っているのか」

吉兵衛が頭を下げた。

「まあ、こうした品物を扱って居りますので、とりわけ売れて売れてと申すことはございませんが……」

続いて、手代の芳三郎が呼ばれた。

年は二十七、江戸の水で洗い上げたような、すっきりした二枚目である。どちらかというと番頭よりもしっかりしていて、源三郎の問いに、はきはきと返事をする。

彼も番頭と店にいたのだが、

「お倹が出かけてから、一度も奥へ行かなかったか」

という源三郎の問いには、

「そう申せば、一度だけ台所へ参りました。お内儀さんがお出かけの節、適当に番頭さんとお茶にしなさいとおっしゃって、台所の棚に茶菓子をおいて行かれたのを思い出したからでございます」

「それは、何刻頃だった」

「番頭さんから唐墨の話を聞いて居りましたり、お客様がみえたりで、うっかりしていましたので、八ツ（午後二時頃）はかなり過ぎていたように存じます」

「その時、善右衛門は奥にいたのか」

「はい、台所で鯉を料《りよう》ってお出でで……ここの鯉は実に旨い。神奈川辺のにくらべると身がしまっていて、臭味がないとおっしゃいました」

「奥へ行ったのは、それだけか」

「あとは店を閉める時刻になりまして、ちょうどお内儀さんがお帰りになる寸前だったと思いますが、茶菓子の盆や湯呑を台所へ下げて参りまして、店まで戻って来ると、お内儀さんが番頭さんと話をしていらっしゃいました」

「善右衛門はまだ、台所にいたのか」

「鯉こくを椀に盛りつけていらしたように存じます」

「椀に盛りつけた……」

「はい、御自分のお椀とお内儀さんのお椀と……どちらも同じ柄の同じ大きさのものでございます。夫婦椀でございまして、一対の……」

「ずいぶん、気が早いな」

「手前は土間で湯呑を洗いまして、それから店のほうでお内儀さんの声がしたようなので、急いで台所を出ましたので……」

奥からお俊がお卯のに支えられながら出て来た。髪がほつれ、蒼白に顔をうつむけるようにして手を突いた。

「申しわけございません。大事の時に取り乱しまして……」

低い声であった。買い物に出かけたのは日本橋の長命堂へ、平素服用している薬が残り少くなったのでそれを買うのと、呉服屋を一軒のぞいて来たという。

「帰ってすぐ番頭と話をしたというが……」

「留守中のお客様のことなどでございます。芳三郎が参りまして、善右衛門どのが鯉こくを作っていると申しますので奥へ参りますと、もう、お膳を茶の間へ運んで居りまして、出来たばかりだから、早く食べるように申します」

「膳の上に、鯉こくの椀はのせてあったのだな」

「はい、いつも使って居ります夫婦椀で……お箸も添えてございました」

「そういうことは、これまでにもあったのか」

「善右衛門どのは鯉こくがお好きで、出来ますと早速、頂いて居りましたが、大抵は私も家に居りまして手伝いますので……」

盛りつけまで善右衛門が一人でやることはなかった筈だと考えながら答えた。

「すぐに飯にしたのか」

「いえ、私はお卯のにいいつけることもございましたし、他行着を着がえたいとも思いましたので……」

「善右衛門は、先に食べはじめたのか」

「早く来い、なにをしていると申していましたが、どうぞお先にと申しますと、すぐ箸を取ったように存じます」

お俊は台所へ行ってお卯のに、飯やら香の物やらを運ぶようにいいつけて戻って来ると善右衛門が膳の脇に倒れて苦しんでいた。

「私が大声を上げましたので、みんながかけつけてくれまして……たしか、芳三郎が玄庵先生を呼びに行ったのではないかと存じます」

源三郎が傍の玄庵に訊いた。

「毒が入っていたのは、善右衛門の椀だけだったな」

玄庵が沈痛にうなずいた。

「左様でございます。お内儀さんの椀も、台所の鍋も調べましたが、まず、異常はございませんでした」

源三郎が東吾の顔をみ、東吾がお俊にいった。

「善右衛門は聟養子だそうだが、あんたとの縁談を決めたのは、誰だ」

「義母《はは》でございます。善右衛門どのは義母の実家の遠縁に当りますので……」

「あんたは、その縁談をどう思った……」

「どうと申しましても……私も養女でございます。親の決めたことは、ありがたくお受け致しました」

「善右衛門に不満はなかったのか」

「ございません。歿りました義父は、もう少し、商売物について熱心になってもらいたいと申して居りましたが、優しい人でしたから、私にはもったいないと……」

改めて善右衛門の死が実感になったように声を詰らせた。

「夫婦になって、どのくらいになる」

「十二年でございましょうか」

「子が出来ないそうだな」

「私の体が弱いためかと……」

「善右衛門に、外の女なぞ居るまいな」

「とんでもないことでございます。うちの人に限って……」

番頭もいった。

「旦那様に左様なことは、決してございません」

東吾が先に店を出たのは、外に麻生宗太郎の顔がみえたからであった。

「鯉で当ったというのは本当ですか」

宗太郎が訊き、

「毒だよ」

と東吾が応じた。

「そうでしょうな」

「誰に訊いた」

「丑之助が薬草を干していて、外来の患者の話を耳にしたらしいのですよ。わたしに相談もせず、亀有へとんで帰ったようです」

「大丈夫だ。あいつの持って来た鯉のせいじゃない」

ふと、訊いた。

「丑之助が今日、ここの家へ鯉を持って来たのは、何刻頃だったかわかるか」

「いつも夜明けに亀有を発って来るそうですから。我が家へ着いたのは、わたしが薬草畑を見廻っていた時で、辰の刻（午前八時）前後ですかね」

「鯉は、すぐ今川町へ届けられたんだな」

「生き物ですからね。とりあえず我が家《うち》の桶に水を入れて放すこともありますが、まず半死半生でたどりつく鯉なので、早い中に持って行けと、今朝も薬草を下すと、その足で届けに行った筈ですよ」

それが何か、と訊かれて東吾は首をふった。

対山軒から源三郎と長助が出て来た。

「いつまでも、死体をそのままにもしておけませんので……」

長助のところの若い者を見張りにおき、町役人《ちょうやくにん》が世話をして、善右衛門の野辺送りの支度をさせるといった。

長寿庵まで引揚げる道で、源三郎が宗太郎に取調べの結果を話し、宗太郎は一言も口をさしはさまず、じっと耳をすませている。

「石見銀山のねずみとりですが、四、五日前にお俊がお卯のにいいつけて、近所へ売りに来たのを買わせたそうです。その中《うち》に団子でも作って、天井裏へ放り込むつもりだったといっていますが……」

台所の棚の上に、それがおいてあったのは店の者みんなが知っている。

「そいつを鯉こくにまぜたってことですか」

宗太郎が不審そうに訊き、東吾が反問した。

「なにか、おかしいか」

「石見銀山を、椀に入れて人一人を殺すにはかなりの量が要りますよ。この節、石見銀山ねずみとりを殺人に使われると危険だというので、かなり効き目の弱いものしか売られていない筈です」

その上、人間が口にすれば容易に判るように、独特の匂いがつけられるようになったと宗太郎はいった。

「但し、これは江戸だけで、近在ではまだ昔のものが売られているかも知れません」

「江戸で買った石見銀山を椀に入れて、人を殺すのは難しいってことだな」

「善右衛門は神奈川の在ですから、むこうで入手したんじゃありませんか。法事やなんぞで、たまには実家のほうへ行くこともある筈で……」

長助がいい、

「いけませんや。自分で買った毒で、手前が殺されるってのは、平仄《ひょうそく》が合いません」

ぼんのくぼに手をやった。

「待てよ」

と東吾がいい出した。

「善右衛門が誰かを殺すつもりで、鯉こくに毒を仕込み、間違えて自分が食ったというのは考えられないか」

「誰かとは、お俊ですね」

鯉こくは夫婦二人が食べる筈であった。

「なんで女房を殺すんです」

源三郎が東吾の顔を眺めた。

「今のところ、一番、下手人に近いのは芳三郎なのですよ」

善右衛門が鯉こくを作っている間に、少くとも二度、台所へ行っていると当人が告白している。

「番頭は店、お俊とお卯のは出かけていたんですから、毒を仕込めるのは芳三郎しかいないんです」

「だったら、源さん、何故、芳三郎を縛らないんだ」

「もう少し、なにかが出て来ませんとね」

芳三郎が善右衛門を殺さねばならない理由だといった。

「もし、逃げ出せば、長助のところの若いのが見張っていますから……」

それはそれで、早く決着がつく。

「善右衛門が食べた鯉こくですが、その残りは玄庵の所にあるわけですね」

あくまでも毒にこだわっているような宗太郎が訊き、長助が答えた。

「毒を調べるために、玄庵さんが自分の家へ行った時、うちの若いのが持って行きましたんで……」

「これから行って、その残りを調べてみますよ」

おそらく、まだ処分はしていないだろうと宗太郎は駈け足で戻って行く。

「源さんと長寿庵にいるよ」

その後姿へ声をかけて、東吾と源三郎は長寿庵の二階へ上った。

本来なら、こうした場合、源三郎を「かわせみ」へ伴って行くのだが、どうも妊婦に殺伐な話は聞かせたくない。

長寿庵の二階はいい具合に客が上っていなかった。

「源さんのいうように、下手人が芳三郎だとした場合、主人殺しの理由は、やっぱり色恋だろうな」

たとえば、店の金をごま化したの、使い込んだのというのなら、番頭なり、内儀なりがそれを発見するだろうと東吾はいった。

「善右衛門は、商売のことをあまりまかせられていないようだ」

商売物のことにくわしくない主人である。

「まあ、番頭が帳面などをみせて、報告はしているでしょうが……」

使い込みをかくすために主人を殺すというのは対山軒の場合、あてはまらない。

「色恋というと、芳三郎が岡場所の女にでものぼせ上って、それを主人に注意され、逆怨みということですか」

源三郎がいい、東吾が長助の運んで来た酒を取り上げた。

「源さんのお調べは、毎度のことながら、そつがないが、盲点は色恋にうといんだな」

「まさか、お俊が相手という……」

「一応、疑ってもいいのじゃないか」

「しかし、お俊は三十二、芳三郎は二十七です」

「五つぐらい年下ってのは珍しかないだろう」

「それにしても、お俊が善右衛門と夫婦になった時、芳三郎はもう対山軒で働いていたのでしょう」

東吾がいい飲みっぷりで盃を干した。

「そういう単純な所が、源さんの欠点さ」

今から十二年前、芳三郎はいくつだったと東吾にいわれて、源三郎が苦笑した。

「十五では、いくらなんでも……」

「二十の女と十五の男では、どうにもなるまいよ。仮に好き合っていたとしても、よくよく無分別でない限り、かけおちは出来まい」

その頃は、対山軒の先代夫婦も健在であった。

「義理の親の目が光っている中で、お俊が五つも年下の男を口説けるとは思わない。それに二十の女からみた十五の男というのは子供っぽく映るんじゃないのかな」

芳三郎の側からすれば、

「お俊に憧れていたとしても、奉公人の身で主家の娘にいいよるのは、御法度だろう」

けれども十二年の歳月が過ぎた今はどうだろうと東吾がいった。

「うるさい親は二人共、あの世ゆきだ。神奈川の在所育ちの聟は一向に垢ぬけないし、商売熱心でもない。鯉こくにうつつを抜かしているような男を、お俊が甲斐性なしと愛想を尽かす。一方の芳三郎は商売のことはわかるし、男盛りの二枚目だ。お俊の気持が自分に動いていると知って、芳三郎も悪い気はしないだろう。お俊と夫婦になれば、対山軒は自分のものになるんだ」

お酌をしていた長助がたて続けに頭を下げた。

「確かに若先生のおっしゃるように考えますと、芳三郎が主人殺しをする理由はわかりますが、一つ間違えば三尺高い木の上でございます」

磔《はりつけ》になるおそれのある罪を承知で手を下したにしては、あまりにもやり方がぞんざいだと長助はいった。

「どうみても、自分に疑いがかかるような殺しを、あの芳三郎がやるってえのが、どうも合点が参りません」

東吾が盃を長助に渡し、自分が酌をした。

「その通りなんだ。それで俺もお手上げ、源さんも立ち往生している」

階段の下から、辰吉という長助の下っ引が遠慮がちに呼んで、長助がそっちへ行ったが、すぐ戻って来て、

「芳三郎が、旦那に申し上げたいことがあるといって、来ているそうです」

という。

「辰の奴に、どこへ行ったら、先程の旦那にお目にかかれるかというもんで、ここへ連

れて来たってんですが……」

源三郎が東吾と顔を見合せ、東吾がいった。

「いいとも、連れて来いよ」

長助と一緒に上って来た芳三郎は、ひどく思いつめた表情であった。

源三郎と東吾を前にして、暫くは声も出ないでいる。

長助が少々不思議に思ったのは、こうした場合、必ず、相手に話しやすくさせるような気のきいたせりふを口にする筈の東吾が、黙って酒を飲んでいることであった。

源三郎も黙っている。仕方なく長助がうながした。

「おい、旦那に申し上げてえことがあるってんなら、とっとといわねえか」

芳三郎は体をすくめるようにして、口ごもりながら喋り出した。

「実を申しますと、先程のお調べの時、つい、いいそびれたことがございまして……」

源三郎を見上げ、また目を伏せた。

「その……旦那様が召し上った鯉こくの椀でございますが、本当ならお内儀さんが召し上る筈で……」

鋭く、東吾がいった。

「お前が、椀を取り替えたのか」

芳三郎の顔から血の気が引いた。

「どうして、それを……」

「何故、取り替えた。善右衛門が女房の椀に何かを入れるのをみたというのか」

「手前の気のせいかも知れませんが……」

「そいつは二度目に台所へ来た時だな」

「はい、旦那様は鯉こくの味をみながら、お椀によそってお出でで……随分、お気の早いことだ、まだ、お内儀さんもお帰りにならないのにと思いながら、土間で湯吞を洗いながら、そっと見ますと……一つのお椀の上になにかをふりかけたような感じが致しました」

「それで、どうした」

「旦那様はお椀ののったお盆を持って茶の間のほうへ行かれ、手前は湯吞を片づけて店へ戻りかけました。そうしますと、旦那様が茶の間から台所へ何かを取りに行かれましたので、ただもう、なにを考える暇もなく茶の間へ入って旦那様のお椀とお内儀さんのお椀を取り替えましてございます」

「それから、店へ行ったのだな」

「お内儀さんの声がしまして、慌てて……」

「それで平仄が合うな」

東吾がうなずき、源三郎は、

「よく正直に申し立てた。店へ戻って野辺送りの支度をするように……」

長助へ目くばせした。長助が芳三郎を送って行き、源三郎がいった。

「狐が尻尾を出したわけですか」

「そういうことだろうが、話は合うな」

お俊の申し立てによると、善右衛門はすっかり膳の支度をしていて、盛んに早く食えと勧めた。

「お俊はなかなか来ない。で、お俊を安心させるためにも、自分が先に食った……」

「芳三郎が、椀を取り替えたとも知らずにですな」

「女房殺しの筋立ては出来上ったが、こっちもお粗末だな」

もしも、芳三郎が椀を取り替えず、お俊が鯉こくを食べて死んだとすると、まっ先に疑われるのは善右衛門である。

「善右衛門という男、それほどの馬鹿か」

源三郎が目許を笑わせた。

「お上も、馬鹿にされたものです」

「よく考えたにしては、底が割れているよ。すぐ近くで奉公人が茶碗を洗っている時に、女房の椀の中に毒をふりまけるものか。少し待っていりゃあ、奉公人は台所を出て行くんだ」

しかし、と東吾は盃をおいた。

「いつか、源さんに話したな。俺は対山軒でお卯のという女中がわざと薬湯の入った茶碗をひっくり返したのをみているんだ」

あの時、善右衛門が女房に薬湯を飲むことをうながしたような恰好であった。

「あの茶碗に、毒が入っていると思って、お卯のがひっくり返したというのなら、俺達の考えは間違っているかも知れないぞ」

「お卯のを呼び出して訊きますか」

二階から下りて、長助ともども外へ出ながら、東吾が考え込んだ。

「俺達は、お卯ののことを忘れてやしないか」

長助が不思議そうに訊いた。

「ですが、お卯のはお内儀さんのお供をして日本橋へ行ってましたんで……」

「帰ってきた時だ。内儀は店から入る。お卯のは……」

「女中は台所口からでございましょう」

「善右衛門は鯉こくが出来上って、早速、味見をしようと、自分の椀によそった。まさか台所で立って食べるわけにも行かないから、膳を出しに行く。この時、芳三郎は台所にいた。善右衛門の椀に毒を入れられるのは芳三郎だ。善右衛門が膳を持って来てお椀と箸をのせ茶の間へ、芳三郎は様子をうかがい、善右衛門が鯉こくを食べるのをみすまして店へ行く。その時、お俊はもう帰って来ていて番頭と話をしていたんだ。ということは、お卯のはとっくに台所口を入って来ている……」

とすれば、お卯のはなにかをみたかも知れない。

「源さん、急ごう」

源三郎がお卯のを訊問しなかったことで、芳三郎は安心しているのかも知れないが、

「お俊は気の廻る女のようだ。もしもという気がしないでもない」

お卯のに訊いてみなければわからないが、ひょっとして、お俊がお卯のに、自分は旦那に命をねらわれているような気がするとでもいい、お卯のがそれを真《ま》にうけていたとすると、薬湯をひっくり返したことがはっきりする。

「つまり、事件が起って、役人が奉公人を調べる。お卯のの口から、お内儀さんは旦那に殺されるのではないかと怯えていたといわせ、薬湯の件が持ち出されるのを計算していたのじゃあないのか」

いかにも女の考えそうな小細工だと東吾がいい、長助が首をすくめた。

「よく、そんな智恵が廻るもんで……」

仙台堀のところで、本所側からやって来る宗太郎に出会った。

「わかりましたよ。あれは石見銀山じゃありません。外国渡りの猛毒です」

この節、唐墨や上等の硯は清国から船で長崎へ入るよりも、清国との戦争に勝ったイギリス船がそうした清国の富を日本へ運んで商売をしていると宗太郎はいった。

「そういう船は、横浜へ入っているのです。対山軒が横浜で唐墨や硯を仕入れる時、イギリス商人から毒物を入手することは可能じゃありませんか」

すでに幕府は横浜、長崎、箱館を開港し、ロシア、アメリカ、フランス、イギリスとの自由貿易もはじまっていた。

男四人がひとかたまりになって対山軒へついた時、そこには異様な風景が展開していた。

大八車に乗った若い娘と、百姓風体の夫婦と、そのまわりに男女四人の子が集って、店の入口まで出て来ているお俊と芳三郎に対して、

「お卯のを返してくれ」

と叫び続けているのであった。

「あれは、丑之助の家族です」

宗太郎がいい、走り寄った。

「どうしたんだ。お卯のがどうかしたのか」

「先生様……」

父親が救いの神に出会ったような表情になった。

「丑が帰って来て知らせただ。俺の獲った鯉で、ここの御主人様が当ったそうで、縛るなら俺を縛ってくれ。お卯のに罪はねえです」

源三郎がお俊と芳三郎にいった。

「お卯のを連れて来い。お卯のはどこにいるんだ」

二人が顔色を変えたので、東吾もどなった。

「お卯のを出しなさい。お卯のをどうした」

丑之助が店の中へとび込んだ。続いて子供達がわあっと後を追う。

「これ、お前達……」

遮ろうとした芳三郎を源三郎が制した。

「動くんじゃねえ」

日頃の源三郎からは想像も出来ない、八丁堀の旦那の凄い声に、芳三郎は縮み上った。

そして、間もなく、両手を縛られ、猿轡《さるぐつわ》をはめられたお卯のを、その兄妹が家の中からかつぎ出して来た。

四

「姉ちゃん、姉ちゃんと小せえ奴らはとりすがるし、兄貴の丑之助が縄をほどいて、親子が抱き合って泣いているのをみてね、俺も源さんも、なんともいえない気持がしたよ」

お卯のの口から、芳三郎が善右衛門の椀に何かを入れているのを見た、と証言されて、源三郎の峻烈な取調べを受けた芳三郎とお俊が遂に善右衛門殺しを白状し、一件落着となった翌日、折柄の十五夜の月を賞でようと縁側に集ったるいやお吉、嘉助に、招かれた長助を加えて、東吾はいつもの捕物話をはじめた。

「そうすると、芳三郎って手代は、お卯のちゃんにみられたのを悟ったってことでございますか」

「そうじゃないんだ。お卯のがお俊に知らせたんだ」

旦那様を殺した毒は、手代の芳三郎がお椀に入れたのを自分はみたとお卯のは、お俊に打ちあけた。

「利口でも十三の子なんだ。男女のことは目が届かない。よもや、自分を可愛がってくれるお内儀さんが、手代といい仲になっているとは夢にも思わなかったんだ」

「かわいそうに……それじゃ、皆さんの行くのが遅かったら、殺されるところだったんですね」

るいが眉をひそめ、嘉助が訊いた。

「番頭も、ぐるだったんで……」

「いや、吉兵衛は何も知らない。俺達が行った時は、菩提寺へ旦那の野辺送りの打合せに出かけていたのさ」

お吉に注いでもらった茶碗酒を旨そうに飲みながら長助がいった。

「それにしても、若先生ってのは、女が何をやらかすかってことを、よく、あんなふうにお当てなさるもんで……お卯のが茶碗をひっくり返したのが、お内儀さんの小細工のせいだったってのには、全く、仰天しました」

お俊はお卯のを手なずけて、自分が善右衛門に殺されるような気がする。自分が死ねばこの店の一切合財、善右衛門のものになる。だから、善右衛門がお内儀さんに持って行けと命じたものは毒が入っているかも知れないので気をつけておくれとよくよくいい含めた。

「大体、あの善右衛門って奴は、商売のことはわからない。役立たずと追い出されては困ると思ったのか、女房に惚れていたのか、やれ、薬は飲んだか、鯉こくを作ったから食べてみろとか、親切すぎるんだな。そいつがお俊にしては、うっとうしい。亭主を殺して芳三郎と天下晴れて夫婦になりたいと思いつめた時、そうした亭主の親切を利用しようとしたんだから罰当りな話だ」

「かわいそうに、お卯のちゃん、どんな気持だったでしょうね」

大事に奉公していた女主人に裏切られ、危く殺されそうになった。

「人を信じなくなるなんてことはありませんかしら」

るいが心配そうに呟いた時、長助と「かわせみ」のみんなは見た。

美しい満月の手前に、雁が長い列を作って飛翔して行く姿が、まるで真昼のように明るい夜空にくっきりと浮んでいる。

「こいつは、きれいだなあ」

るいと肩を並べるようにして雁の行方を見守りながら、東吾はふと、あの夜、亀有へ帰って行った親子の姿を雁の上に重ねて思い出した。

体の弱い上の娘までが、妹の重大事ときいて、どうしても一緒に行くといってきかない。それで父親が大八車に乗せ、親子兄弟七人が必死になって、お卯のを助けにやって来た。

お俊と芳三郎が捕縛されたあと、長寿庵で晩飼を御馳走になり、いそいそと亀有へ戻って行った親子の頭上にあったのは半月だった。

今夜、あの親子は亀有で中川の上に輝く十五夜を揃って眺めているのだろうか、と東吾は俄かに胸の中が温かくなって来るのを感じた。

「るい、心配はいらないよ。お卯のは、そりゃあいい家族を持っている。あの子が人を信じられなくなるわけがないんだ」

大川端の夜は更けると共にひんやりとして来ている。

雁の姿はもう見えず、満月だけが皓々と輝いていた。

狸穴坂《まみあなざか》の医者《いしや》

一

三の酉《とり》のある年は火事が多いというが、この年の江戸は、その俗説を信じたくなるほど、初冬の頃から諸方に火の手が上った。

今のところ、早くに気がついて消火につとめ、殆《ほとん》どが小火《ぼや》ですんでいるものの、町奉行所はしばしば町役人《ちようやくにん》を呼び出して火の番、夜廻りを怠らぬよう下知をしている。

その矢先、早朝に霜を蹴散らして、畝源三郎の使が、大川端の「かわせみ」へ来た。

今暁、麻布に大火があった、という。

「六本木から飯倉、狸穴へかけて燃え広がって居ります模様で……」

畝源三郎はすでにそっちへ向って居り、「かわせみ」へ知らせたのは、狸穴には神林東吾が長年師範代をつとめた方月館があるためだと承知して、番頭の嘉助はすぐに奥へ走った。

東吾はすでに起きていて、ちょうど着替えをすませたところだったが、

「ともかく、様子をみて来よう」

慌しく、畝源三郎の使と共に「かわせみ」をとび出して行った。

夜はあけているが、曇り空で陽はさしていない。風は殆どなかった。

芝口から虎之御門に抜けたあたりで遠く麻布の高台の方角に煙が上っているのがみえたが、たいしたものではなかった。

ばらばらと人が走って来るので訊ねてみると、火事はすでに鎮まったらしい。

それでも飯倉の近くまで来ると、大変なさわぎであった。大八車を曳いて逃げ出して来た者が道をふさぎ、怒号やら悲鳴やらにまじって、はぐれた子供を探す親だの、突きとばされて下敷きにされた者を助けようと叫ぶ者だの、修羅場の様相を呈している。

群衆に巻き込まれ、押し流されて、気がついた時、東吾は新堀川のふちへ出ていた。

死にもの狂いで東吾について来たらしい畝家の若党が、しきりに手拭で目を拭いている。

「大丈夫か」

東吾に声をかけられて、赤い目でうなずいた。

「狸穴は、この方角だな」

幸い、このあたりは焼けていなかった。

十番の馬場の脇を通って坂を上って行く。狸穴坂の両側は、流れて来る白煙で靄のようになっていたが、家々は無事であった。

その先に方月館の建物がみえて、東吾はかけ出した。

松浦方斎と正吉が、屋敷の前に立っている。

「松浦先生……正吉……」

「東吾か」

「若先生……」

たがいに呼び合って、正吉が東吾にしがみついた。

「無事でよかった」

「よく来てくれた」

方斎の声がうるんでいた。

「幸い、この一帯は火をまぬがれたが、一時はもういかぬと思った」

風のない夜だったのに、火が風を起して六本木のほうから、あっという間に燃えて来た。

「飯倉片町のあたりで風が変ったのか、道のむこう側へ火が向った」

武家屋敷を焼き、市兵衛町のほうへ広がった。

声を聞きつけたように、おとせと善助が出て来た。善助は左手を白布でぐるぐる巻きにしている。

「怪我をしたのか」

「たいしたことはございませんので……」

善助は威勢がよかったが、おとせが眉をひそめるようにした。

「火傷《やけど》は手当が悪いと、とんだことになると聞いて居ります。お医者にみて頂いたほうがよいのではないかと……」

方月館の隣は竹林だが、その先に町屋が数軒ある。火はそこまで燃えて来て、善助は火を消す手伝いに行った。

「二軒は焼け落ちましたが、あとは助かりました」

火傷はその時、負ったものだという。

「狸穴坂の先生の所へ、善助さんをつれて行ってもようございますか」

おとせがいい、方斎がうなずいた。

「そうであった。あそこは火傷の名医だそうだな」

善助がいった。

「おとせさんは、御膳の支度をして下さい。俺は一人で行きますよ」

「俺がついて行こう」

東吾が応じた。

「表は、まだ人がごった返している。善助一人では、心もとない」

よくみると、善助は左足を少しひきずるようにしていた。

「善助は東吾に頼み、おとせと正吉は炊き出しの支度をしたほうがよい。知り合いが焼け出されているやも知れぬ」

方斎の言葉で、東吾は善助を助けて狸穴坂の方角へ歩き出した。

飯倉片町のほうは、まだ煙が上り、きな臭い匂いがただよっている。

「仙五郎は無事だろうな」

東吾がいい、善助が答えた。

「店は燃えてしまったそうですが、家族は無事で知り合いの寺へ避難させたとのことでございました。つい、さっき、方月館へ様子をみに来てくれまして、また、町へ戻っていきました」

「そりゃあ、不幸中の幸いといわなけりゃあならないな」

火傷の名医だと方斎がいったのは小野寺十兵衛という医者で、住居は狸穴坂の下にあった。

すでに怪我人や火傷の手当をしてもらいに来た人々が玄関先にまであふれていて、東吾がのぞいてみると、老若二人の医者がてきぱきと治療をし、二十三、四だろうか、医者の若女房といったのが、客の応対をしている。

やがて善助の番になった。

「これは、方月館の若先生ではございませんか」

善助につき添っている東吾をみて、初老の医者がいった。

「昨夜は方月館へお泊りだったので……」

「いや、そうではありません。麻布界隈が大火と聞いてかけつけて来たのです」

「方月館は御無事だったのでしょうな」

「おかげで助かりました」

善助の火傷は腕よりも脚のほうがひどかったが、小野寺十兵衛は東吾と話しながら、手ぎわよく手当をほどこし、茶褐色の塗り薬をつけた上に和紙をおき、新しい布を巻きつけた。
三、四日、薬の塗りかえに通ってもらえば、あとは自分で手当が出来るようになるだろうといってくれる。
治療代は申しわけ程度であった。

「こうした時は、おたがいさまというか、幸い、我が家は焼け残りましたので、せめて御近所の方々のお役に立ちたいと考えまして……」

家を焼かれた患者からは一文も取らない方針らしい。

方月館へ帰ってくると畝源三郎が来ていた。

火事場を走り廻っていたらしく、煤《すす》けたような顔になっている。

「六本木と飯倉はすっかり焼けてしまいましたよ。このあたりが助かったのは、幸運としかいいようがありません」

火元は六本木の武家屋敷で、どうやら、夕方、落葉を焚いたのの後始末が悪かったようだという。

「仙五郎の店は焼けたそうだな」

当人はこの界隈の岡っ引だが、本職は桶屋であった。

「大層な働きをしたそうです。町内の年寄や身動きの出来ない病人なんぞを次々と助け出して、今も避難所をかけ歩いています」

おとせが用意した握り飯と味噌汁で腹ごしらえをしていると、方月館で剣術を学んでいる弟子達が、続々とかけつけて来た。炊き出しの手伝いをする者、握り飯を竹の皮に包む者、それを諸方へ届けに行く者なぞ、各々、自分の出来ることをして働いている。

東吾はその握り飯の包を背負えるだけ背負って、仙五郎の家族が身を寄せているという寺を訪ねた。ちょうど仙五郎も戻って来たところで、あっちこっちのすりむき傷や火傷に女房が薬を塗ってやっている。

寺では炊き出しをはじめていたが、逃げて来た人々の数が多く、到底、間に合わない有様だったので、東吾の運んで来た握り飯は大いに役立った。

「若先生のお手ずからの握り飯だ。あだやおろそかに頂いちゃならねえぞ」

仙五郎が悴《せがれ》夫婦や孫にいい、自分も押し頂いて食べはじめるのをみて、東吾はいった。

「さっき、善助を狸穴坂の医者の所へ連れて行ったが、あそこは火傷の名医だそうだ。仙五郎も診てもらったほうがいい」

「十兵衛先生ですか」

仙五郎がいい、女房が貝に入った塗り薬をみせた。今しがた、亭主に塗ってやっていたものである。

「これは、十兵衛先生から頂いたものなんですよ」

ここらあたりの者は必ず、十兵衛のところの塗り薬を常備しているのだといった。

「子供がいる家では、いつ、火傷をするかわかりませんし、台所仕事をする者も、けっこう重宝しています」

「よく効くのか」

「痕にならないっていいますんで……」

仙五郎が答えた。

「あっしらなんぞは、どこに火傷のひっつれが残ったってどうということはございませんが、若い女や子供は痕にならないに越したことはございません」

「そりゃあそうだな」

大勢の患者が来ていたと東吾はいった。

「息子夫婦と三人きりでてんやわんやしていたよ」

「息子夫婦と申しますと……」

「十兵衛っていう先生の倅じゃないのか。若い医者と、その女房と……」

仙五郎が少しばかり可笑《おか》しそうな表情になった。

「そいつは先生、違いますんで……若いのは弟子の久之助さん、女の人は十兵衛先生の御新造さんなんで……」

「なんだと……」

十兵衛はどうみても五十になっている年頃であった。

「若い女だぞ。せいぜい、二十なかばくらいの……」

「へえ、あさの様は二十五の筈で……」

「あの女が、十兵衛の女房なのか」

仙五郎の女房が、東吾の驚いた顔へうなずいた。

「若先生がお間違えになるのは当り前ですよ。誰がみたって親子っていう年の差ですから……最初はどなたもびっくりなさいますんです」

「後添えか」

「前の御新造さんの遠縁に当る娘ってことでして……御新造さんがお元気な頃、親をなくして、十兵衛先生の所へ身を寄せたって聞いてます」

「それが、後添えに直ったってことか」

「まあ、そうなんでございます」

五年前だといった。

「十兵衛先生は四十五、六、あさの様は二十そこそこで、そそっかしい奴はてっきり、お弟子の久之助さんと夫婦になるのかと勘違いを致しました」

夕方まで方月館で働いていて、東吾は大川端へ帰った。

自分では全く気がつかなかったが、火事場の臭いがしみついていたらしく、早速、風呂に入れられて、髪まで洗わせられる始末であった。

「先程、畝様がお使を下さいましたの。方月館は御無事だったし、東吾様はお手伝いをなさっていらっしゃいますから御案じなくと……」

「源さんは、まめだな」

「どなたかさんが鉄砲玉みたいでいらっしゃるから、畝様はその分、お気を使われるのですよ」

姉さん女房に髪を結ってもらって漸く晩餉になった。

「仙五郎の所は丸焼けだから、当分、大変だ」

とりあえず、火事見舞はおいて来たが、改めて少々の金を届けてやりたいと東吾がいい、給仕をしていたお吉が得意そうに鼻をうごめかした。

「お嬢さんのお指図で、若先生がお帰りになる前に、番頭さんが若い衆を二人連れて、着るものや布団や鍋釜、食べるものなんぞ、大八車で届けに行きましたんです。方月館で訊けば、避難先もわかるからって……」

「なんだ。嘉助が行ったのか。それじゃ、方月館で待っていて、一緒に帰ってくりゃあよかったな」

「皆さん、お怪我がなくてようございましたね」

「方月館の善助が火傷をしたんだよ」

それで思い出して、狸穴坂の医者の話になった。東吾は火傷の名医で、その調合した薬を使うと、痕が残らないという点を強調したつもりだったが、女達の関心はやっぱり年の違う女房のことだったとみえて、

「その後妻さんは、器量よしなんですか」

早速、お吉が訊いた。

「うちの内儀さんには遠く及ばないがね。まあ、人三化七《にんさんばけしち》じゃあなかったよ」

るいの顔色に要慎《ようじん》しながら答えると、

「なんで、そんな人が、親子ほども違うお医者の後妻になったんですかねえ」

お吉が好奇心丸出しの顔でいう。

「そいつは知らないが、仙五郎の話だと、両親もいないらしいし、頼りにする者もないそうだから、まあ成り行きまかせになっちまったんじゃないのかね」

「いけ好かないお医者じゃありませんか。自分が親代りになって、いい所へ嫁入りさせてやったらよさそうなものだのに……」

「そりゃあ、人三化七なら、そうしただろうな」

「ですから、殿方ってのは、向うみずだっていうんです。人の道にそむいたら、結局、禍《わざわ》いが我が身に及ぶんです」

例によって、お吉がとんちんかんな熱弁をふるい出し、東吾はそれを肴に酒を飲む。

「若くて器量のいい嫁さんをもらうのは、人の道にはずれていて、禍いが身に及ぶの

か」

「よく申しますよ。年をとって、若い女房をもらったら、決して長生きは出来ません」

「しかし、あいつは医者だぞ」

「お医者だって同じです」

「火傷の名医じゃ、駄目か」

「駄目でございます。その中《うち》、ろくでもないことが起りますです」

「いい医者だったよ。焼け出された奴には金も取らないで手当をしていたし、善助の治療代も安かった」

「まあ、そうやって功徳を積めば、少しはいいかも知れませんけどね」

番頭さんがお帰りです、と女中が知らせに来て、漸く、お吉の長広舌は終りを告げた。

二

麻布の大火で焼け出された仙五郎一家は、肝腎の仙五郎が相変らず町内の用事で走り廻っているものの、悴の仙吉が方月館の松浦方斎の好意で納屋を仕事場に借り、桶造りを開始したところ、安くて丈夫で、使い勝手がよいと評判になって、よく売れているという。女達も焼跡を片付けたり、桶売りに歩いたりと大活躍だと、るいの代理で見舞に行ったお吉から聞かされて、東吾は自分も様子をみに出かけようと心づもりをしていた。

十二月になって漸く講武所の休みが廻って来て、はやばやとるいが用意した方月館への歳暮の包や、仙五郎の家族への土産などを持たされて、東吾が狸穴へ出かけてみると、方月館の庭には、出来上ったばかりのさまざまの桶が並べてあり、納屋ではとんとんと威勢のいい桶造りの音が聞えている。

方斎は正吉をお供に、広尾の名主の家へ出かけているというので、東吾は歳暮の品々をおとせに渡し、

「今の中《うち》に、狸穴坂の医者の所へ、火傷の薬をもらいに行って来る」

と話して方月館を出た。

別に「かわせみ」の誰かが大火傷をしたわけではないが、この前、仙五郎の女房がいったように、火傷の薬というのは常備しておくべきもので、実際、「かわせみ」では、そそっかしいお吉が始終、足の上に湯をこぼしただの、焼けている釜のふちをうっかり摑んだのといっては水で冷やして油を塗りつけている。

善助の火傷の治り具合からしても、狸穴坂の医者の薬に特効があるのがわかったので、この際、少々、分けてもらいたいと考えていた。

おとせの話だと、蛤の貝殻にびっしり塗り薬をつめたのが一分で売ってもらえるとのことであった。

「若先生がお出でにならなくとも、あたしが一走り行って来ます」

とおとせはいったが、

「なに、俺が行ったほうが早い。ついでに柳屋の饅頭でも買って来るよ」

気軽く、東吾は方月館を出た。

方月館は高台にあるので、そこから見渡せる狸穴町一帯がしっかり焼け残っているのに対して、六本木や飯倉片町は焼野原だが、その中ですでに新しい家屋の建築も始まっている。

「仙五郎親分のところも、なんとかお正月までには仮普請だそうですけれど、一つ屋根の下に家族が暮せるような話でした」

とおとせがいったのは、今のところ、仙五郎は番屋で寝泊りをして居り、悴は方月館の納屋、女達は寺へ厄介になってといった具合に、家族がばらばらなのを知っているからで、

「方斎先生が、家族揃ってこちらへ来てもよい、部屋はあるからと何度もおっしゃったのですけれど、仙五郎親分は番屋にいたほうがなにかと便利だからって……」

女房達は、もっぱらお寺に身を寄せている年寄や病人の面倒をみているらしい。

「仙五郎の家族は、岡っ引にゃ珍しく、評判がいいからなあ」

とかく、お上の御威光をかさに着て、店へ顔を出せば、必ず袂に包み金を入れてもらえるといった岡っ引が多いものなのに、

「源さんが手札を渡している岡っ引は、長助といい、仙五郎といい、まっとうでいい奴ばかりなのさ」

一つには、源三郎が身銭を切って日頃から彼らの面倒をよくみていることもあるが、

やはり、長助や仙五郎のような人柄のいい岡っ引というのは決して多くはない。

「評判がいいといえば、狸穴坂の十兵衛先生も、火事で男をお上げなさいましたよ」

納屋で仙吉の手伝いをしていた善助が出て来ていった。

「もともと、お医者の腕はいいし、貧乏人も金持も分けへだてをなさらないってんで人気があったんですが、火事で焼け出された人からは金を取らないのが大評判になりまして、神様、仏様のようにいわれていますよ」

火傷の特効薬で有名だが、本来は外科の医者で、

「今度の火事では、随分と怪我人も出たんです。十兵衛先生は、動かせない怪我人のところには御自分でお出かけになって手当をなさって、なかには毎日のように診て廻らなけりゃならない患者もいるそうですが、そういうのも、一文もお取りにならない。こればっかりは、なかなか出来ることじゃございませんので……」

善助はつくづく感心している。

その善助とおとせに見送られて、東吾は狸穴坂を下りて行った。

小野寺十兵衛の家は入口が格子戸で、のぞいてみると、土間の沓脱石には履物がなかった。

つまり、今は患者が来ていないということだろうと東吾は思った。

声をかけたが、返事がなかった。二度、三度と訪《おとな》って、東吾は格子を開けた。

留守かと考えたとたんに、家の中で女の声がした。で、改めて声をかけたが、やはり

返事はない。

けれども、耳をすますと、やはり人の声が聞えて来る。どうやら庭のほうらしいとわかって、東吾は玄関の脇の枝折戸を押し、家に沿っている道を奥へ入って行った。

果して庭がある。狭いが石燈籠などを配置し、植込みがあった。そこに立つと障子を開けはなしてある家の中が丸見えになった。

若い医者に女が寄り添って、しきりに何かいっているらしい。女の手が男の肩に触れたり、はなれたりして、その度に、男が困惑したように女をみる。女は面白そうに笑っていた。雰囲気からすると、どうも男女がいちゃついているような感じで、東吾は慌てて元来た道を戻った。

玄関の格子を音を立てて開け、大声で呼んでみた。何度目かに足音がした。

若い医者が入口の障子を開ける。

「御用ですか」

東吾の視線にぶつかると、顔を赤くした。

「火傷の薬を分けて頂きたいのだが……」

「承知しました。暫く、お待ち下さい」

若い医者が部屋のすみの机のところへ行って、ひき出しから貝を出している。

「そこには、もうありませんよ」

女が奥から出て来た。

「薬部屋の棚の上にあったと思うけれど……」

若い医者が出て行き、女が東吾に会釈をした。

「あなた様は、この前、方月館の善助さんについていらっしゃいましたね」

「そうです」

「神林様とおっしゃる剣術の先生とか」

「そうですが……」

女の目が色っぽいと思い、東吾は視線を逸《そ》らしてから訊いた。

「本日、十兵衛先生はお出かけですか」

「怪我人の治療に出かけて居ります。午《ひる》からは毎日でございます。帰りますのは、遅うございますが……」

「ああ、いや格別、先生に用があるわけではありません。御在宅なら少々、うかがってみたいこともないではないのですが、またの折にしましょう」

若い医者が薬を持って来て、東吾は代金を払い、礼をいって外へ出た。二、三歩行きかけると、

「今の方に、何をいったのですか」

と詰問するような若い男の声が聞えた。

「別に、なにも……」

女の含み笑いが続いて、東吾は足を早めた。

どうも好かない連中だと思った。小野寺十兵衛の若い女房と弟子の医者はまともな間柄ではなさそうである。

柳屋へ寄って饅頭と団子を買い、東吾は方月館へ戻った。

その日は、冬空がどこまでも晴れて青く、風のない穏やかな上天気だったのに、翌日から木枯が吹き出して、夜は雨になった。

「雪にならなけりゃ、よございますねえ」

とお吉が心配したほどの冷たい雨が二日続いて、漸く上ったものの、江戸の気温は低いままで、一日中、底冷えがする。

すっかり日の暮れるのが早くなった八丁堀の道を急いで、東吾が「かわせみ」へ戻って来ると、嘉助が、

「狸穴から、お客がみえて居りますが……」

という。

「あさの様とおっしゃいまして、とりあえず梅の間にお通ししておきましたが、若先生がお帰りになったら、お目にかかりたいとのことで……」

「るいは知っているのか」

「お出かけでございます。仁科交安先生のところに、月に一度、診ておもらいになるお約束の日で……」

妊《みごも》ってから、るいは毎月、定《きま》った日に麻生宗太郎が紹介したお産の大家の医者に診て

もらいに行っている。

狸穴坂の医者の女房が何をいって来たのか知らないが、るいが帰って来ない中《うち》に片をつけたいと東吾は考えた。

「梅の間へ行くまでもない。ここで話をきくから呼んで来てくれ」

上りかまちの板敷の脇に小部屋があった。畳敷きだが板の間との仕切りはないから、帳場から開けっぱなしにみえる。嘉助の目の届く所で女の話を聞こうという東吾の気持を嘉助は読み取ったようであった。

「只今、お伴《ともな》い申します」

梅の間へ行き、すぐにあさのを連れて来た。

他行着《よそゆき》らしい着物に、やや厚化粧をしている。

「俺に話があるそうだが……」

えらくそっけない調子でいったのに、あさのはひるみもしなかった。

「私、家を出て参りました。行き所がございません。暫く、こちらで御厄介にならせて頂きとうございます」

「ここが、俺の女房のやっている宿屋だと、誰に聞いた」

「方月館の善助さんです」

「家を出て来たといったな。御亭主と喧嘩でもしたのか」

「主人の嫉妬深いのには、ほとほと愛想が尽きました。私と久之助の仲を疑って、あれこれと申します」

「おぼえがなけりゃ、そういってやりゃあいいだろう」

「私は、久之助などを相手に致しません」

「俺にいわれたって仕様がねえ」

「御相談にのって頂けませんか」

「いやだね。他人の内輪揉めに首を突っ込むのは大嫌いだ」

「主人は、私を殺すかも知れません」

「俺の知ったことか」

「若先生……」

たまりかねたように、嘉助が東吾を制しかけた時、暖簾のむこうから若い男の声が叫んだ。

「あんた、よくも、御新造様をこんな所まで呼び出しておきながら……」

「久之助……」

と叫んだのは、あさので、東吾は一瞬、あっけにとられた。暖簾のかげから久之助が土間へふみ込んだ。

「なにもかも知っていますよ。あんたは御新造様に文をやって呼び出した」

「俺が文をやっただと……」

「大先生がおっしゃいましたよ」

あさのが帯の間から折りたたんだ紙片を出した。

「これは、神林様ではありませんの」

ひったくるように東吾はそれを取った。

御相談事あらば、いつにてもお出で下されたく候
と二行に書かれているだけで、宛名も差出人の名もない。

「こんなもの、俺が書くか」

なんなら俺の書いたものと筆蹟をくらべてみるがいいと東吾がいいかけるのを、あさのが遮った。

「それには及びません。私も、もしかしたら違うのではないかと思いました」

「なに……」

「久之助が来たので、やっぱりと思いました。私には、これを書いたのが誰か解って居ります。その人は、これをみて、私がどこへ行くか知りたかったのでしょう」

東吾がどなった。

「なんだか知らないが、手前らの色事のとばっちりを他人に持ち込むのはやめてくれ。俺のところは大事な内儀《かみ》さんが、もうすぐ赤ん坊を産むんだ。つまらねえことで内儀さんが体を悪くしてみろ、俺は手前らを叩っ斬るぞ」

帰れ、といった東吾の迫力に、あさのがはじかれたように立ち上り、慌てて「かわせみ」を出て行った。その後を久之助が追って行く。

仁王立ちになっている東吾に、嘉助がそっといった。

「若先生は、さっき暖簾の外に立っていたのが、お嬢さんだとかん違いなすったんじゃありませんか」

東吾が悪戯をみつけられた腕白坊主の顔になった。

「どうして、わかった」

「いつもの若先生にしては、随分、冷たいおっしゃりようをなさると思ったからで……たしかに、あの御新造さんは軽はずみで危っかしい感じが致しましたが、なにも、ああ、ぽんぽんおっしゃらなくとも……」

「驚いたな。嘉助も若くて色っぽい女には弱かったのか」

笑いながら奥へ行くと、居間にるいが帰って来ている。

「お吉が店先でなにか揉めているっていうものですから、裏から入りましたの」

棒立ちになっている東吾へやんわりと笑っていった。

「いくら私が身重の体だからといって、他人様に大事な内儀さんがどうのこうのなどとおっしゃるのはやめて下さいまし。まるで、私が旦那様をお座布団にしているみたいで……」

「俺が、るいの尻に敷かれてるってことか」

いいじゃないか、人が何をいったところで、俺達は俺達なんだからといいかけるのを、

「いけません。私がいやなのですもの」

あさのより、余っ程色っぽい目で睨まれて、東吾は首をすくめた。

「世の中には、変な奴がいるものだな。俺があの医者の家へ行ったのは、善助の火傷の手当の時と、この前、火傷の薬を買いに行った、たった二度きりなんだぜ」

「お吉がいってましたよ。うちの旦那様は女難の相がおありなんだって……」

「よせやい」

そのお吉が晩餉の膳を運んで来て、東吾は意識的に話題を変えた。

三

中二日ほどして、今度は小野寺十兵衛が「かわせみ」へやって来た。驚いたことには麻生宗太郎が同行している。

「小野寺どのは、手前の父の門弟に当ります。東吾さんに、どうしてもお詫びを申したいというので、わたしがついて来ました」

相変らず風邪の薬だの、腹痛のだの、体が温まるから煎じて飲めだのと、さまざまの常備薬をお吉に渡している。

「どうせ、ろくな話じゃなかろう。るいに聞かせては、胎教って奴によくないんじゃないのか」

と東吾はいったが、

「まあ、生まれて来れば人間さまざまのことに出会います。少々は薬になってよいのではありませんか」

とぼけたようなことをいって居間へ通った。

十兵衛は、この前、善助の手当を受けに行った時に会った感じからすると、随分、老けた様子であった。

「なにからお詫び申してよいか……」

といったきり、十兵衛が絶句し、みかねたように宗太郎が口を切った。

「小野寺どのは、御妻女のことで悩んで居られたそうですよ。そのために、東吾さんに御迷惑をかけたと……」

十兵衛が苦渋に満ちた顔を上げた。

「なにもかも、手前の不所存から出たこと。五年前にあさのを妻にしたのが、手前の間違いでございました。年の差が、これほどの難儀を伴うものだとは、夢にも……」

「しかし、それは、五年前、御夫婦になられた時に、すでにおわかりだったのではありませんか」

いささか憮然として東吾がいい、十兵衛はかすかに首をふった。

「お若い方には、おわかりにならぬことでございます。四十五の時は、若い妻を持つのを喜びと思いこそすれ、重荷とは考えて居りませなんだ。五十を過ぎてみて、はじめて愕然としたことでござった」

夫が初老となった時、妻は女盛りを迎えている。

「あさのにしても、手前の老いは予想出来なかったに違いございません」

東吾が少しばかり眉を寄せた。

「夫婦のことは、夫婦の仲にて解決すべきものだと心得ますが……」

老人が若い妻をもて余し、嫉妬し、そのあげくに、奇妙な文をこしらえて、妻がそれをみて、どこの男を訪ねて行くか験《ため》してみようとする。

「御新造は、小野寺どのの企みに気がつかれたようですな」

十兵衛が両手を突いた。

「まことに御迷惑をおかけ申し、面目次第もございません」

「別に迷惑というほどのことはありません。宿屋稼業をしていると、奇妙な客が舞込むことも少くありません。ここの家の者はみんな馴れています」

そんなことよりも、御新造とよく話し合ったほうがいいのではないかといいかけた東吾へ、十兵衛がいった。

「あさのは、昨日、家を出て行きました。久之助と一緒でござった」

流石《さすが》に、東吾は黙った。二人が戯れ合っていたような、あの時の風景が目に浮ぶ。

結局、そういうことだったのかと苦笑したい気持であった。

「あさのは手前に三下り半を求めまして、手前も心を決め、離縁状を書きました」

「それは……」

いいさして、東吾は宗太郎をみた。

「しかし、よく思い切られましたな」

おそらく掌中の珠のように愛しんで来た妻なのだろうと思う。

「今は、むしろ、さっぱりした感じで……もっと早くにこうして居れば、苦しみもせず、こちら様に御迷惑をかけることもなく……」

宗太郎がいった。

「そういうことなので、どうか勘弁してやって頂きたい。小野寺どのは医者として世間への体面を気にしているのですよ」

「この俺が、御新造のことを世間に喋り散らすというのか」

「東吾さんは、決してそんな人物ではないとよくいってやったのですが、当人は気がすまないと申すので……」

宗太郎は笑い、東吾はいった。

「あんまり人をみくびらないでもらいたいな。俺は他人の秘事を、口外するような男ではないつもりだ」

小野寺十兵衛が平伏した。

「何卒、何卒、手前の苦衷をお汲み取り下さいまして……」

「これでいいでしょう。あんまり、くどいと、神林どのを怒らせることになる」

宗太郎が少しきびしい声を出し、小野寺十兵衛は深刻な表情のまま、「かわせみ」を出て行った。

「なにが、苦衷だ。体面が気になるなら、娘のような女房なんぞもらうな」

東吾が苦々しげにいい、宗太郎が気の毒そうにいった。

「人間は誰しも失敗《しくじり》をやるものですよ。それに、医者というのは信用が第一ですからね」

若い女房をもらったと評判になったと思ったら、今度はその女房が弟子と手に手を取って出て行ったというのでは、やはり具合が悪いと宗太郎は真面目な顔でいう。

「しかし、あいつは火傷の名医なんだろう。そういう得意業《とくいわざ》がありゃあ、少々の不面目があろうとも、患者は来るさ」

「わたしも、そういってやったんです。当人も内心ではそのように考えていますよ」

「あいつ、見栄っぱりなんじゃないのか」

世間からよく思われていたいという気持が強すぎると東吾はいった。

「焼け出されをただで手当してやっているというから、立派な医者だと感心していたが、あれも人気取りのためだったのかな」

それについて、宗太郎は何もいわず、るいに体の様子を訊ね、二、三の注意をして、慌しく帰って行った。

小野寺十兵衛について、「かわせみ」の連中は、むしろ、同情的であった。

「身から出た錆かも知れませんが、殿方ならいくつになっても若い御新造をおもちになりたいってのが本音じゃありませんか。娘ほども年の違う後妻をもらったって例は、珍しくもございません。あのお医者は運が悪かったんですよ」

とお吉がこの前とは正反対に十兵衛の肩を持ち、るいは、

「御夫婦の情さえあれば、なにも、そうしたことにこだわらなくともよろしいのではありませんか」

あさのという女に思いやりが足りないといいたげであった。

「理屈はそうだが、女盛りの年頃に尼さんのような暮しをしろっていうのも気の毒な話だろう。まあ、別れ話になって、どちらも幸いというところだろうよ」

男にとって、あまり気分のいい話ではないから、東吾はとっととその話を切り上げたが、内心では小野寺十兵衛に同情するものがある。

それにしても、あの色っぽい若女房が内弟子と家を出て、どこでどんな暮しをしていることかと、そっちが少々、気になった。

月のなかばに、東吾は、兄の通之進から、

「加賀の酒が参ったので、方斎先生にお届けするように……」

と命ぜられて、方月館へ行った。

善助の火傷はほぼ完治していて、腕などはうっすらとしか痕が残っていない。

「やっぱり、あの医者は火傷の大家《たいか》だな」

出て行った女房は目のない女だといいかけるのを、おとせが遮った。

「御新造様なら、お帰りになったんですよ」

「あさのって女か」

「ええ、つい三日前に……お弟子さんとは別れて来たとおっしゃって……」

「よりが戻ったのか」

「いいえ、戻りませんでした」

善助が羨しそうにいった。

「新しい御新造が出来てたんですよ」

「なんだと……」

小野寺十兵衛が「かわせみ」へ来てから、まだ十日も経っていない。

「なんでも、六本木の御家人の娘だそうですが、父親がこの前の火事で大怪我をして、それを小野寺先生が親切に手当をなすった。せめてお礼に家の中の仕事でも手伝いたいって、先生のお宅《うち》に通って来ている中に、そういう話になったんだそうでして……」

「あいつ、随分と手が早いんだな」

東吾が感心し、おとせが笑った。

「この辺では、大層な評判ですよ。なにしろ、出て行った御新造さんより、六つも若い方なんですから……」

小野寺十兵衛の三人目の女房は十九歳だといった。

「もうすぐお正月で、二十におなりになりますけど……」

「戻って来た、前の女房はどうしたんだ」

「どうにもなりません。今度の御新造は親御様も御承知の上で、ちゃんと仮祝言をお挙げなすったっていうんですもの」

しょんぼりと出て行くあさのの姿を狸穴町の人々がみているといった。

「なんとも、恐れ入った話だな」

老人になって、若い女房をもて余していたと聞いたほうが馬鹿のようである。

「世間はみんな申していますよ。御立派な先生には、いくら御新造さんが出て行ってしまっても、それ以上に良い御新造さんがちゃんとお出来なさる。たいしたものだと……全く、その通りでございますね」

善助がいい、おとせもそれにうなずいている。

「成程なあ。そういうものか」

宗太郎が聞いたら、なんというだろうと思い、東吾は竹刀の音が威勢よく響いている道場のほうへ歩き出した。

冬《ふゆ》の海《うみ》

一

大川端の小さな旅宿「かわせみ」の女主人るいはこのところ、天気がよいと鉄砲洲の湊稲荷あたりまでそぞろ歩きをしていた。

妊って以来、なにかにつけて細やかな心くばりをしてくれる本所の名医、麻生宗太郎が、

「おるいさん、妊婦は病人ではないのです。大事な体だからと、いつも家にひきこもっているのはお腹の赤ちゃんにもよろしくない。暖かな日は、この界隈をのんびり歩いてみることです。おるいさんの気分が晴れ晴れとすれば、お腹の赤ちゃんもそりゃあいい御機嫌になるものですよ」

と忠告してくれたからで、実際、冬の陽を浴びながら、さわやかな大気に触れるのは

心がひきしまって食欲も湧く。

お供には、いくら一人で大丈夫だといっても、女中頭のお吉がついて来て、番頭の嘉助までがそのほうが安心だという。

「お嬢さんがお一人でお出かけになりますと、お吉さんは万事が上の空で、茶碗をひっくり返したり、柱に突き当たったり、ろくなことがございません。お供について行ってくれたほうが、余っ程、家の者がほっと致します」

などと嘉助にいわれても、お吉は全く腹も立たないらしく、

「急に陽がかげったり、風が出て寒くなるといけませんから……」

と綿入れの半天だの、頭巾などを風呂敷包にして、いそいそとるいの後からついて来る。

最初はいろいろと近所を歩いてみたのだが、あまり知った顔に出会う道でも、その都度、挨拶しているのでは気を使うし、荷車や馬の通るところは埃《ほこり》っぽいと敬遠するようになって、結局、いつもの道というのが決ってしまった。

大川端町の「かわせみ」を出て亀島川から続く堀割に架っている二ノ橋を渡り、越前堀の脇を抜けて東湊町を行くと、亀島川が大川へ注ぐあたりに高橋《たかばし》がある。それを渡って、もう一つ、稲荷橋を越えると鉄砲洲の湊稲荷、通称、浪よけ稲荷の境内で、このあたりから眺める大川の入り江はそのまま江戸湾へ広がっていて、大小の舟が停泊し、江口には佃島、石川島が見渡せる、なかなかの景観であった。

「まあ、こうやって見ますと、海っていうのは、なんて大きいんでございましょう。若先生が軍艦に乗ってお出かけなさいますのは、あの、ずっとずっとむこうかと思いますと、気が遠くなるようでございますね」

などと、お吉は毎度感心し、るいも別に神林東吾が航海中というわけではないが、何となく感慨深くなって、いつまでも海の彼方を眺めていたりする。

で、結局、るいのそぞろ歩きはこの道順で、疲れない限り、鉄砲洲の稲荷神社までということになっている。

前日の雨が夜明けに上って、太陽が東の空を染めると気温は面白いほど高くなって師走とは思えない陽気になった。

「いいお天気になりましたが、お出かけになりますか」

東吾が講武所に出かけ、泊り客の大方が出立してから、るいが居間の縁側にまで射し込む日ざしに目を細めていると、お吉が声をかけに来た。

台所のほうはもう一段落したという。

「あとは板さん達がまかせておけっていいますから……」

「それじゃ、行って来ましょうか」

るいが立ち上り、お吉はいつもの風呂敷包を取って台所へとんで行く。

「かわせみ」の玄関口には、嘉助がるいの草履を沓脱ぎに揃えて待っていた。

「いい按配に青空が広がりました」

るいの手を取って、草履に足を下す間、支えてくれる。裏からお吉が廻って来て、

「お待たせしました。番頭さん、行って来ますよ」

「気をつけてな。ゆるゆるとお出かけなさいまし」

嘉助に見送られて歩き出した。

道に面した店は、掃除をすませ、暖簾を出したものの、まだ客が来るには早い時刻で、帳場のあたりからは小僧が算盤の稽古をしているような声が聞えて来る。

そうした町の中を通り、やがて亀島川を渡る高橋の上まで来て、ふと、るいは足を止めた。その先の稲荷橋のまん中に一人の女が欄干によりかかるようにして大川の河口を眺めている。

縞の着物に黒衿のかかった半天をひっかけている恰好は、商家の女房のようだが、油っ気のない髪にさりげなく手拭をかぶっているのが、野暮にみえない。

この時刻、どちらの橋も殆ど通行人はなく、それだけにじっと海をみつめている女の姿が目立った。

「今日は随分、舟が居りますねえ」

るいに並んで、お吉が入り江へ目をやった。

鉄砲洲の沖、佃島との間の海に、かなり大きな船が帆を下して三艘並んで居り、その前後を猪牙《ちょき》や小さな帆かけ舟が往来している。

それらは高橋の下を通って亀島川へ漕ぎ上るのもあれば、稲荷橋の下を流れる桜川へ

入って行くのもあった。

暫く眺めていて、るいが歩き出し、高橋を下って高札場の前を通り、稲荷橋に上った。

「お嬢さん、ごらんなさいまし、今日は御船手番所に随分、お役人が出ていますよ。流人舟が出るんでしょうかね」

稲荷橋の上で、お吉が今、越えて来たばかりの高橋の東側、海に面した所を指した。

そこは御船手組頭、向井将監《むかいしょうげん》の役宅があり、隣は船番所であった。

江戸湾からこの大川の河口へ入って来る船の検問所であり、見張り場である。

また、罪人が遠島になる場合、御船手番所から船に乗せられ、三日間、船内の牢に入れられて鉄砲洲沖に停泊し、その間に、内々で家族との対面を許される。その上で江戸湾から浦賀の御番所を通って、島へ送られるようになっていた。

お吉が流人舟といったのは、そのことだったが、見る限り、そうした船らしいものは御番所の前に繋留《けいりゅう》されてはいない。

「ただの船改めですよ」

西国からの大きな船が入って来るのかも知れないといい、るいとお吉は稲荷橋を下りて浪よけ稲荷の境内へ入った。

ここの稲荷社は名前の通り航海安全を祈願する者が参詣に来るので、境内の絵馬堂には船の絵を描いた絵馬が多く奉納されている。

「軍艦の絵馬は上らないんですかね」

お吉が毎度、同じことを呟き、社殿へ行ってお賽銭を上げ、丁寧におがんだ。

「若先生が航海にお出ましになる時、どうぞ海が荒れませんように……」

お吉の、これもいつもの呟きが聞えて、るいも神妙に合掌した。

安産のためのそぞろ歩きに、この鉄砲洲まで来る最大の理由は、るいにとっても夫の海での無事を祈るためで、軍艦操練所に所属している東吾は時折、訓練のために航海に出る。

少々、長い参詣を終えて、今度は境内にある富士講の信者が築いた「お富士さん」の小山に麓から柏手《かしわで》を打ち鳴らし礼拝して、二人の女の今日の行事は終った。

茶店でお吉のために団子を貰ってやり、るいは茶を少しばかり飲んで帰途につく。

「お嬢さん、あの女の人、まだ、海をみてますよ」

稲荷橋の袂でお吉がそっといった。

行きにるいも注目した商家の女房風の女で、るいは何もいわなかったのだが、お吉もその女を気にしていたらしい。

女は先程と同じ恰好で鉄砲洲の沖を眺めていたが、るいとお吉がその横を通りかかると小さなくしゃみをし、袂で口許を押えながら、反対側の欄干のところへ行って懐紙《ふところがみ》を出して鼻をかんでいる。

「お日様《てんとさま》が目に入ったんですかね」

お吉が可笑しそうに呟いたのは、自分もよく太陽を眺めてはくしゃみをするからで、るいの足許を気遣いながら高橋へ行きかけると、さっきの女が追いかけて来た。

「もし、そちらさん、この巾着を落しやしませんか」

唐桟の小さな巾着をさし出されて、お吉が自分の帯の間へ手をやって、おやまあ、と声を上げた。

「まあ、あたしとしたことが……」

女が笑った。

「橋の上に落ちてましたよ」

「すみません」

るいが礼をいった。確かにるいにも見憶えのあるお吉の巾着であった。

「この人の巾着です。御親切にありがとう存じました」

「なんでしたら、なかをお改め下さいな」

女にいわれて、お吉が恥かしそうに巾着の口をゆるめた。

「いくらも入っちゃいないんです。お賽銭くらいしか入れて来ませんでしたから……」

それでも小銭をのぞいてから、女にいった。

「本当に、どうも、そそっかしいことで……」

女は稲荷橋のほうへ戻って行き、るいは、しょんぼりしてしまったお吉を伴って、来た通りの道を戻って「かわせみ」へ帰った。

午後になって、いつもより早く東吾が裏木戸から入って来ると、井戸端にしゃがんで

いたお吉が慌てて立ち上って、

「お帰りなさいまし」

とお辞儀をしたが、どことなく元気がない。

庭の沓脱ぎから縁側へ上りながら、出迎えたるいに、

「お吉を叱ったのか」

と訊くと、

「いいえ、別に……」

という。

「何故でございます」

「なんだか、泣いたような顔をしていたよ」

るいが笑いながら、肩を寄せた。

「あの人は、いい年をして子供みたいで……」

「なにかあったのか」

「巾着を落したんです」

「へそくりがそっくり入っていたのか」

「いいえ、たったの四十八文……」

「四十八文ってのは、はんぱだな」

「五十文持って出て、お稲荷さんとお富士さんに一文ずつ上げた残りですって……」

「四十八文だって、お吉にしてみりゃあがっかりするだろう」

「拾って下さったんですよ、通りすがりの方が。だから一文もなくしちゃいません」

東吾が、わけがわからないという顔をした。

「それじゃなんだって……」

「自分が年をとって、なんの役にも立たなくなったっていっては泣いているんです。巾着を落したのも気がつかないで歩いてるなんて、もうおしまいだと申しまして……」

「お吉らしいな」

着替えをすませたところへ、当のお吉が粟餅の焼いたのを運んで来た。

深川の長寿庵の長助が届けて来たもので、東吾の好物でもあった。

「巾着を落したぐらいで、くよくよするなよ」

早速、餅をつまみながら東吾が慰めた。

「誰だって、うっかりすることはあるんだ」

「自分で自分に愛想が尽きましたんです。こんなんじゃあ、お嬢さんのお供も出来ません」

「大袈裟なことをいうなよ」

「仮にも八丁堀育ちが、巾着を落して気がつかなかったなんて……殁った旦那様にも申しわけが立ちませんです」

るいが苦笑した。

「なんで、そんな所にあたしの父を持ち出すの」

「歿った旦那様は八丁堀きっての捕物名人といわれたお方でございました。どんな盗っ人も、旦那様のお名前をきいただけで足がすくむというので、鬼同心と呼ばれていらっしゃいました。そのお屋敷に奉公していた私が、よりによって、巾着を落すとは……」

「お吉……」

東吾が笑い出したいのをこらえて、真面目にいった。

「そいつは考え違いだよ、お吉は何も巾着を掏摸《すり》にやられたわけじゃない。掏摸なら、面目ないとも、お恥かしいともいえるだろうが、ただ帯の間へ突っ込んだのが、なにかの拍子にすべり落ちた。そんなのは捕物とも八丁堀とも関係はない。第一、そんなことなら、源さんだって、しょっちゅうやってるよ」

「畝の旦那が、巾着をお落しになりましたんで……」

「巾着どころか、煙草入れは落す、手拭はなくす、年中、内儀《かみ》さんに文句をいわれっぱなしさ」

「本当でございますか」

「俺が嘘をいうものか。こないだだって道ばたに突っ立って考え込んでいるから、どうしたんだと訊いたら、源太郎に頼まれて買って来た半紙をどこかへ落して来たらしいというんだよ。それだって定廻りの旦那がちゃんとつとまってるんだ。お吉なんぞ、巾着落したのは初めてだろう」

「さいでございます」

「源さんにくらべりゃ、立派なもんだ」

「年のせいで、ぼけたんじゃございませんね」

「一回、巾着落したくらいで、ぼけ婆さんだというなら、源さんなんぞは、ぼけぼけ爺さんじゃないか。さっそく、お役御免を申し出なけりゃならないぞ」

お吉が嬉しそうに笑った。

「私は、掏摸にすられたんじゃございませんので……」

「そうさ」

「なんということはございませんですね」

「当り前だ。人間は神様じゃないんだ。猿も木から落ちるし、犬も歩けば棒に当る……」

「ありがとうございます。若先生がそうおっしゃって下さって、ほっと致しました」

いそいそと、東吾が食べ終った栗餅の皿をお盆にのせてお吉が出て行ってから、るいが訊いた。

「畝様が半紙を落されたなんて嘘でございましょう」

「嘘も方便……」

「煙草入れや手拭まで落すなんて、お千絵様から聞いたこともございません」

「だからさ。ああでもいわないとお吉の奴が……」

「お気の毒ですわ。畝様が……」

「なあに、あいつは始終、出汁《だし》にされつけているよ」

夕方になって、その畝源三郎が宿帳改めに「かわせみ」へ寄った。

この暮は、諸国から江戸に流れ込む無宿人の数が急に増えたという。

「東北は、不作が続いています。やはり百姓では食えなくなって、逃散する者が多いようですから……」

町へ出て来れば仕事にありつけると思って江戸へ向うのだろうが、その江戸も決して景気がよくないし、身許の不確かな者を雇用するのは禁じられている。

「貧《ひん》すれば鈍《どん》すと申しますか、行き所のなくなった連中が夜盗に変ったりするものです」

東吾を相手に、そんな話をしている所へお吉が熱い粟汁粉を持って来た。

「畝の旦那は、よく、ものを落されるそうでございますね」

東吾の制する間もなく、

「お気をつけにならないといけませんですよ。もしも、十手なんぞを落されたら、取り返しがつきませんです」

源三郎が何かいいかけて東吾をみ、東吾はお吉にみえない所で、しきりに目くばせをした。

粟汁粉を食べて、茶を飲み、源三郎が帰りかけると東吾もさりげなく立って外へ出る。

「東吾さん、お吉さんに何を言ったんですか」

源三郎に睨まれて、東吾は止むなく今朝の話を打ちあけた。

「どうも、ひどいことになっているんですね」

この、気のいい友人はたいして腹も立てず、

「その、稲荷橋の上で、お吉さんの巾着を拾った女というのは、近所の人ですか」

と訊いた。

「そいつは知らないが、るいの話だと、橋の上から鉄砲洲沖を長いこと眺めていたそうだよ」

「おるいさんの顔見知りではないわけですな」

「ああ、名前も知らないといっていた」

別れかけて、東吾がふと思いついた。

「源さん、その女が気になるのか」

源三郎が軽く首を振った。

「そういうわけではありません。当今、親切な人もいるものだと思っただけです」

歩き出しながら、つけ加えた。

「お吉さんに、十手を落すなと注意された時は驚きましたよ」

「そういうな、近い中《うち》に鰻でも食おう」

「鰻ぐらいじゃ、割が合いませんな」

畝源三郎が夜霧の中に消えて行き、東吾は首をすくめて「かわせみ」へ入った。

翌日が雨であった。霙《みぞれ》まじりの冷たい雨が夜になって雪になり、場所によっては一寸《いっすん》ばかり積った。

雪どけ道はすべったりすると危いとお吉も嘉助も口を揃えるし、東吾までが、

「なにも、毎日、歩かなけりゃあ腹の子によくないってわけでもないだろう」

と心配するので、るいの鉄砲洲通いは数日休みになった。

残雪が消えて、江戸は二日続きの晴天になった。

お吉は、もうお供は出来ませんとしおれ返ったことなぞすっかり忘れた顔でいそいそと支度をし、今度は巾着を帯揚にしっかりくくりつけて帯の間にはさみ込んでいる。

るいとお吉が驚いたのは、稲荷橋の上に、この前の女が立っていたことで、今日も海をむいていた。

「この前は、御親切に……ありがとう存じました」

と、改めてるいが礼をいい、お吉が頭を下げると、女は少しばかり途惑った表情になったが、

「今日もお詣りでございますか」

と応じた。なんとなく一緒に湊稲荷に参詣をし、るいが誘って茶店へ入った。

女の身なりはこの前と似たりよったりだったが、今日は洗い髪を櫛巻きにしているせいか、僅かばっかり婀娜《あだ》っぽくみえた。

饅頭に茶を注文し、るいは自分が大川端で小さな宿屋をしていることを告げ、名を名乗った。

「御丁寧に……あたしは名乗るほどの者じゃございませんが、おとくと申します」

行商人だといった。

「御新造さんは、お稲荷さんへ信心でお通いなすっていらっしゃるんですか」

おとくが訊き、るいは袂で帯の下をかくすそぶりをした。

「私、妊って居りまして、少し歩くようにお医者からいわれたものですから、お詣り旁《かたがた》、天気のよい日はこちらへ参ります」

「左様でございますか」

茶碗を両手に包み込むようにした。

「何人目のお子で……」

「はじめてなのでございます。この年で初産《ういざん》なものですから、まわりが心配致しまして」

「どちらをお望みでございますか。男のお子と、女の……」

「どちらでも……丈夫で無事に生まれてくれましたなら……」

ふっと女の表情が翳り、その目に涙が浮んだ。

「どうなさいました。私、なにか、お気に障ることを申し上げましたか」

るいが顔をさしのぞくと、おとくは手拭で目のすみを押えた。

「あたしは男の子だったんです」

低い声でいった。

「千代松と申しまして……ですが、親に甲斐性がないばっかりに、伊豆のほうへ貰われて行きました」

るいが息を呑み、お吉が訊いた。

「千代松さん、今、おいくつにおなりで……」

「生きていれば、二十一に……」

「たよりはないんですか」

「貰われて行きます時、生涯、会わないし、文のやりとりもしないという約束だったもので……」

「手放されたのは、いくつの時で……」

おとくが少したためらって、小さく、

「十歳でございました」

と答えた。急にそわそわと立ち上る。

「とんだ御造作をかけました。これから商いに廻りますので……」

るいが手早く包んで渡した饅頭を懐に入れ、丁寧に頭を下げて、稲荷橋を渡って行った。

「あの人、子供さんのいる伊豆のほうをみていたんですね」

お吉が鼻をつまらせながらいった。

「この海のずっとむこうに伊豆って所があるんじゃございませんか」

茶店を出て、お富士さんの裏へ廻った。

そこからも海が見渡せる。

「千代松さん、元気にしているといいですがねえ」

お吉の言葉にるいもうなずき、やがて鉄砲洲をあとにした。

二

千代田城の御堀を廻《めぐ》る水が一石《いっこく》橋の下を通って、日本橋、江戸橋と流れる日本橋川はやがて永代橋の袂で大川へ合流する。

その日本橋と江戸橋の南側の河岸一帯を四日市と呼んだ。もともとは毎月四日に市が立ったことから呼び馴らされたもので、大川から日本橋川を舟で上って来る積荷がここに荷上げされて賑やかな大市場となった。売るものはさまざまで、海産物はもとより青物、野菜などが板の上に山積みにされている。

北岸は魚河岸で魚市場が出来ているし、更に日本橋に近いところには草花を商う花河岸があった。

四日市は明暦の大火により一部が霊岸島へ移されて、そちらに四日市町というのが出来たので、本来ならばこの広場は元《もと》四日市と呼ぶべきところを、誰もそうはいわないで、広小路となったあたりは、昔ながらに四日市で通用している。

日本橋川の岸辺はおびただしい数の杭が打ち込まれ、土手蔵はみな石垣を積み上げて護岸の役に立っている。

川岸は至る所に舟寄場があるが、江戸橋の下流が楓川と合流する角地にはとりわけ広い舟着場があって、上総の木更津通いの舟がここに接岸するために、この一帯を木更津河岸とも呼んでいる。

普段から人の往来の賑やかな場所だが、暮はとりわけ舟の出入りも多く、買い物客も増えて一日中、喧噪《けんそう》が絶えなかった。

講武所の帰り、いつもは避けて通る四日市に東吾が立ち寄ったのは、ここに並んでいる床見世《とこみせ》(露店)で、凧の材料を買って行こうと思ったからであった。

幼馴染で兄弟のように親しくしている畝源三郎の一人息子の源太郎は、毎年、東吾に手伝ってもらって凧を作るのを楽しみにしている。

定廻り同心である父親は大体が細かい手仕事が苦手の上に、一日中町廻りの激務だから、とても子供の相手はしてやれない。

したがって、東吾が父親代りをつとめることが多いのだが、その源太郎がこの正月はいつもより一廻りも大きい凧を作って空に上げ、妹にみせてやりたいと東吾に相談した。

みせてやりたいといったところで、源太郎の妹のお千代はまだ赤ん坊で、果して凧の大小がわかるものか、第一、凧なんぞを上げてみせたからといって、喜ぶかどうかと東吾は思ったが、折角、兄さんになった源太郎が妹に凧を自慢したいと考えついたのだから、当人の願い通り、例年よりも大きくて立派な凧を作ってやらなければならないし、そうなると、ぼつぼつ仕事にかからないと正月に間に合わなくなる。

四日市の広場は、本来、空地なのだが、この節は菓子屋や玩具屋、小間物屋なぞの他に水茶屋が出来、講釈場や楊弓場まで並んでしまった。

年の暮の忙しい時だというのに、楊弓場も講釈場もぎっしりと客がつまっている。それらは皆、男ばかりで、どこの家でも大掃除だ、片づけものだという場合、男は邪魔にされるか、或いは女どもにこき使われる前に家を逃げ出すかで、楊弓場や講釈場が男達で満員なのは当然だと東吾は内心、くすぐったい気分になった。

考えてみると、東吾が子供達に凧を作ってやるのも、邪魔にされないための方便だったかも知れないと思う。

二、三軒の店をのぞいて、東吾は大小二つの凧を作るのに必要な細竹やら、凧糸やらを買い求めた。

それらを風呂敷包にして小脇に抱え、雑踏にふみ出して、ふと目の前の女に目がむいた。

如何にも暮の買い物に来た商家の女房といった恰好だが、左右にくばった目が一瞬、鋭かった。

むこうから大店の主人と思われるのが小僧をお供にやって来る。東吾が目をつけた商家の女房風の女は、その男に近づいて挨拶をしている。知り合いかと東吾は肩から力を抜いた。どちらの様子も極めて親しげであった。

女掏摸かと早合点したのが我ながら笑止で、東吾は近くの大福餅屋へ寄って一包を土産に買った。まだ温かいのを懐に入れて楓川に架る橋のほうへ歩き出した。

そのあたりは三河万歳が年末に合方の才蔵を求めてやって来る、いわゆる才蔵市の立つところだが、流石《さすが》にまだ早すぎて誰もいない。

「掏摸だッ」

という大声がして、東吾はふりむいた。

がやがやと人が集っている。反射的に東吾はかけ戻った。

大さわぎをしているのは、先刻の大店の主人であった。懐中を探り、あたりを見廻し、小僧を叱りつけている。

「掏摸だと叫んだのは、お前か」

東吾が近づいて声をかけると、相手は赤くなった顔を上げた。

「財布を……財布をやられましたので……つい、今しがた、茶代をおいた時には間違いなくございましたんで……」

「あんた、さっき、女と話をしていたろう。あの女は知り合いか」

大店の主人がきょとんとした。

「女と申しますと、茶店の……」

「そうじゃない。床見世の通りで、どこかの内儀さんに挨拶をされていたが……」

「はい、確かに……知り合いか」

「いえ、存じません。ですが、むこう様は手前をよく御存じのようで……」

やはり、あの女だと東吾は舌打ちした。

高札場のほうから岡っ引らしいのが走って来た。東吾を知っていて、

「こりゃあ、若先生、青物町の吉次でございます」

という。いわれてみれば、以前、顔をみたような気がした。

「掏摸は女だ。四十そこそこの小ぎれいな……」

商家の内儀さんといった恰好だといったものの、首尾よく獲物を仕止めた女が、この辺にまごまごしている筈はない。

「若先生は、現場をごらんなすったんで……」

「掏るのをみてりゃ、とっつかまえたさ。俺がみたのは、この人とその女が挨拶をかわしている時だ。てっきり知り合いにみえたんで、気にしないで行っちまったんだが……」

吉次にあとをまかせて東吾は「かわせみ」へ帰ったのだったが、土産の大福餅をるいとお吉が食べている最中に、畝源三郎がやって来た。

「木更津河岸で掏摸をごらんになったとか」

「失敗《しくじ》ったよ、源さん」

すまない、と頭を下げた。

「相手の芝居があんまりうまかったんだ」

大店の主人に話しかける様子はどうみても旧知のようであった。

「男も鼻の下が長すぎるんだ。いい女に話しかけられて、知りもしないのに、知ったような顔をしやがって……」

「いい女だったのですか」

真面目に源三郎が訊いた。

「吉次は、東吾さんが四十そこそこの小ぎれいな女だったといわれたと申していました」

「器量は悪くなかったよ。野暮に作っていたが、垢抜けしたところがあってね」

「なにか目につくようなものは……」

「そういわれると困るんだが……」

たそがれ時の雑踏の中であった。

「どっちかといえば、小柄なほうだった。派手な女じゃない。いい女といったって、目立つ器量というんじゃないんだ」

「今度、会ったら、わかりますか」

「そりゃあ、わかるさ」

源三郎が、かすかに笑った。

「助かります」

今まで正体がわからなかったのだといった。

今月になって掏摸にやられたという訴えが増えた。

「暮から正月は、掏摸の多い季節なんですが、どうも、新顔らしいというのです」

掏摸仲間で、ひそかに足を洗い、お上の手先をつとめているのが何人かいる。

その連中が、どうも今までの仲間内の仕事ではないといい出した。

「女のようだとわかって来たのも、つい最近のことなのです」

掏られた者に細かく問いただした所、見知らぬ女に声をかけられたというのが出て来た。

「羽織の衿を直してくれたり、手拭を落したのではと追いかけて来たり、無論、その手拭は自分のものではないので、礼をいって別れるわけですが……」

「腕のいい奴だな」

「女だということで、掏られるほうも油断をしています」

「女掏摸というのは珍しいな」

昔、将門の彦六と呼ばれた掏摸の名人に、おまさという娘がいたと東吾は思い出したが、今日の女はおまさではない。

第一、東吾が知っているおまさは掏摸の腕は持っていたが、父親に固く禁じられて実際に掏摸の仕事はしていない。

「とにかく、掏られた方が、あまり女の顔をおぼえていないのです。いい女だったというくらいで……」

一つには女の顔にこれといって特徴がないためだろうと源三郎はいった。

「東吾さんに見られたのは運の尽きですよ」

「いざという時の首実検なら、手伝うよ」

源三郎が帰り、東吾は風呂敷包を開けて凧の材料を吟味した。

「源太郎ちゃんのですか」

長火鉢の上に土鍋をかけながら、るいが微笑した。

「あいつ、兄貴になったものだから、今年は大きいのを作りたいらしい」

るいを眺めた。

「来年の暮には、俺達の子に凧を作ってやるよ」

「男の子か、女の子か、わかりませんのに」

「女の子だっていいさ」

麻生家の花世は女の子のくせに凧上げが上手だと東吾はいった。

「来年は楽しみが、いくつも出来る」

やがて生まれてくる子の名前は、兄の通之進に名付親を頼んだと東吾はいった。

「早く、元気で生まれて来い」

るいの帯の下を、東吾がちょいと突いた時、障子があいて、お吉がお膳を運んで来た。

三

その日、東吾はるいのそぞろ歩きにつき合って、鉄砲洲へ出かけた。

流石に暮もここまで押しつまってくると、お吉ものんびりお供をしてもいられないのがわかっていたし、その日は講武所が非番であった。

「いやではありませんの。こんなお腹の大きなのとお歩きになるの」

るいが何度もいい、東吾は笑って相手にしなかったが、考えてみると、この女を妊らせたのは、この男でございと世間に触れて歩いているようで、いささか、きまりが悪い。

けれども、るいにはそうもいえないので、照れくさいのを我慢して高橋を越えると、

「まあ、あの人が今日も来ていますよ」

稲荷橋を眺めたるいがいそいそと足を早くした。なんのことかと、その後について行って、東吾はぎょっとした。

橋の上で、一人の女が海を眺めている。るいが近づいて声をかけ、女がふりむいた。

「おとくさん、まあ、お久しぶりでございますね」

るいが挨拶をしているおとくという女は、まぎれもなく四日市でみかけた女掏摸に違いない。

しかし、おとくのほうは東吾に見憶えはないようであった。

「旦那様、こちらはおとくさんとおっしゃって、いつぞや、お吉の落した巾着を拾って下さった……」

るいがおとくをひき合せ、おとくは東吾に対して深か深かと頭を下げたが、東吾は返事が出来なかった。目が吸いつけられるようにおとくの顔から離れない。

「あなた……」

るいが少しばかり強く東吾を呼んだ時、おとくがいった。

「それでは、ごめん下さいまし」

東吾の横をすり抜けて高橋のほうへ走って行く。

「るい……」

慌てて東吾は女房にささやいた。

「すまないが、一人で参詣して、茶店で待っていてくれ、すぐに戻る」

いい捨てて、おとくの後を追って行く東吾を、るいはあっけにとられて見送った。

おとくを尾行するのは、そう難かしくなかった。

高橋を越え、亀島川に沿ってひたすら逃げて行くおとくは、やがて日本橋川の岸辺に出た。そのまま、八丁堀の脇を通って四日市のほうへ向う。

走るのはとっくにやめてしまったが、わき目もふらずに行く。

掏摸を捕えるには、掏ったところを押えねばならなかった。そうでないと、知らぬ存ぜぬで白状させるのは難かしい。

おとくは自分が尾けられているのを知っているのだろうかと東吾は考えた。もし、気がついていれば、いくら尾け廻しても無駄であった。

るいを置き去りにしているだけに、東吾は迷ったが、とはいえ、この機会を逃がしてはという気持が強い。

行く手に木更津河岸がみえて来た。その界隈は今日も人がごった返していた。

おとくが四日市の床見世の通りへすべり込んだ。

前方の水茶屋から商家の旦那風なのが二人出て来る。東吾が息をつめたのは、その二人に少し遅れて、岡っ引の吉次が顔を出したからであった。

おとくがちらりと後をふりむいた。東吾の姿は明らかにおとくの目に入った筈であった。

あっと声を上げそうになったのは、おとくが無雑作に商家の旦那の懐中に手を突っ込んだからで、とたんに旦那が、

「なにをする」

と叫び、吉次が腰の十手をひき抜いた。

「御用だ」

おとくの肩が落ち、右手から紙入れが路上にころげ落ちるのを、東吾は茫然と眺めていた。

吉次がおとくを曳いて行くのを見てから、東吾は一目散に鉄砲洲へひき返した。茶店

にるいの姿はなく、老婆が、

「お連れさまなら、先にお帰りになるとことづけを頼まれましたよ」

という。「かわせみ」へ帰って来ると、るいは縫物をしていた。事情を説明しように も、傍にお吉がいる。

なにしろ、この前、巾着を落したのを悲観していた時に、掏摸にすられたのなら面目ないが、ただ落しただけならどうということはないと慰めた東吾であった。

その時の女が、実は掏摸だったとは、いいにくい。

「本当に若先生は頼りになりません。お嬢さんをほったらかしにして、いったい、どこへお出かけになったんですか」

人の気も知らないで、ずけずけいうお吉に、東吾はただ笑っているより仕方がなかった。

翌日の夕方、長助がやって来た。

「畝の旦那が、少々、お話があるとのことでして……」

長寿庵で待っているというので、東吾は間の悪い思いで出かけた。

「源さんの用は、おとくという女のことじゃないのか」

永代橋を渡りながら訊くと、

「大層、腕のいい女掏摸だったそうでして、吉次の奴は鬼の首を取ったように喜んで居ります」

という。

「やっぱり、あいつだったのか」

長寿庵の二階で、源三郎は待っていた。ここは長助の部屋で炬燵が出ている。

「おるいさんの前で捕物ばなしは出来ませんので……」

軽く会釈をして、東吾に盃を勧めた。

「寒さしのぎというより、少々、つらい打ち明け話ですから……」

長助が新しい徳利を持って来た。

「おとくという女のことか」

あの女は俺が尾けているのを承知で、掏摸を働いたのではないかといった東吾に、源三郎がうなずいた。

「どうも、東吾さんに捕えてもらいたかったようですな」

「なんだと……」

「誰でもよかったのかも知れません。おとくは島送りになって悴《せがれ》に会いに行く気だったんです」

おとくが、前におるいさんがいっていた鉄砲洲で海を眺めていた女だったというのは、もう、御存じですね、といい、源三郎は東吾が盃を干すのを待った。

「おとくが海をみていたのは、悴の千代松のいる島が、海のむこうだったということと、千代松が島送りになった時、船に乗せられた御船手番所が目の前だったからです」

「流人舟の出るところか」

「千代松は三年前に伊豆の大島に流されました」

「掏摸か」

「いや、盗っ人です。背中に観音菩薩の刺青《いれずみ》をしていて、仲間内では観音の松と呼ばれていました」

意外な話に、東吾は声を失った。

「おとくの身の上は哀れでした。在所は常陸で、子供の時に身売りして江戸へ出て来たそうです」

吉原へ売られて、まだ小さいので新造の身の廻りの世話などをやらされている中に、その新造に通って来ていた客が気に入ったといい、金を払っておとくを吉原から連れ出した。

「客が気に入ったのは、おとくの指だったのです」

長く、細いくせにしなやかによく動く。

「掏摸に仕込むには、まず指のいい子を探すといいます」

「客は掏摸だったのか」

「まむしの勘七といいまして、手前は知りませんでしたが、二十年も昔にお縄になって、獄死していました」

「おとくは、そいつに掏摸を仕込まれたんだな」

「妾にもされていたわけです」

再び、東吾が黙り込み、源三郎が低く続けた。

「十七で、おとくは勘七の子を産んでいるのです」

それが千代松であった。

「子供を抱えて、おとくはさまざまのことをして生きたといいます。時にはせっぱつまって掏摸を働いたこともあると申しました」

千代松だけは堅気に育てたいと、子供が十歳になった時、近所の大工の棟梁に金を添えて、一人前になるまであずかってくれ、と頼んだのだと源三郎は切なそうにいった。

「一人前になるまでの食い扶持やらこづかいやら、まとまった金を棟梁に渡したんだそうですが、その金を作るために、おとくは木更津の飯屋で女郎になりました」

十年の年季を勤め上げて、江戸へ帰って来たおとくが知ったのは、一人前の大工になっているとばかり思っていた我が子が、とっくに棟梁の家をとび出して悪い仲間に入りお上の厄介になって、伊豆の大島に流されたという事実であった。

「むごいなあ」

流石に、東吾も暗然とした。

「千代松って奴も、情ねえな、どうしてお袋の気持がわからねえんだ」

伝法な口調になった東吾を源三郎が目で制した。

「おとくは、棟梁の所で、千代松と一緒に修業していた弟子に聞いたそうです。千代松は母親を苦界から助け出すために金が欲しかった。それもてっとり早くです。千代松の背中の観音様の顔は、おとくに似ていたと、そいつはいっていたといいます」

「参ったなあ」

「江戸で、おとくが掏摸を働いたのは、金を貯めて大島へ悴を訪ねて行くつもりだったようですが、東吾さん、おとくはこういいましたよ。東吾さんに尾けられている中《うち》に思いついた。お上に捕まれば、悴のいる島へ行くことが出来る……」

黙々とお酌をしていた長助が吐息をついた。

「そのあたりが素人でございます。お上が悴と同じ島へ送って下さるとは限りません」

「しかし、源さんは、おとくを伊豆の大島へ送ってやるつもりなんだろう」

「一応、上役にはお願い申していますが……」

言葉が切れて、炬燵の横の火鉢にかけてある鉄瓶の湯の音が男達の耳に聞えて来た。

おとくは、この年、最後の流人舟で伊豆の大島へ送られることになった。

その朝は、夜明けから粉雪が舞った。

誰一人、見送りもないおとくのために、東吾は少々の金を包み、御船手番所へ出かけて行った。

本来なら流人は三日間、船牢に入れられて鉄砲洲沖におかれるのだが、畝源三郎が女のことだからと特に願い出て、おとくはその朝、源三郎に伴われて御船手番所へ来た。

東吾の顔をみると、おとくは嬉しそうに近よって、早口にいった。

「御新造様に申し上げて下さいまし。お供の方の巾着を掏ったのは、お金が欲しかったからじゃありません。あちらが流人舟のことをおっしゃったのが……わけもなしに口惜しくなって……本当にすみませんでした」

どうぞ、お健やかな赤ちゃんをお産み下さるようお祈り申し上げます、といわれて、東吾は礼をいった。

「あんたも体を大事にして……源さんの話じゃ、そんなに長い島暮しにはならないそうだ」

役人が呼びに来て、おとくは沖の船へ乗るために、小舟に移った。

その髪にも、肩にもちらちらと粉雪が降りかかる。

船頭が竿をさし、小舟は鉄砲洲の沖へ漕ぎ出した。

その時、源三郎が並んでいる東吾にそっといった。

「おとくは、大島へ行っても、千代松には会えません。千代松はこの夏、流行り病で死んでいました」

その知らせが、二日前に着いたという。

「おとくは知らないのか」

「話しました。倅の墓まいりに行くのだと申しました」

海からの風が吹きつけて、東吾と源三郎は面をそむけた。

役人が舟着場の柵を閉めはじめている。
雪の中を、小舟は冬の海をたゆたうように進んでいた。

源《げん》太《た》郎《ろう》の初《はっ》恋《こい》

一

定廻り同心、畝源三郎の嫡男、源太郎はこの初春、七歳になった。背も急に伸びはじめたし、母親似の優しい面ざしが、少々、男らしくなってきた。で、母と妹の千代と共に、大川端の「かわせみ」へ年賀に行くと、

「ちょっと見ない中《うち》に、たのもしくなったな。畝家は父親が不在のことが多い。源太郎が母上や千代を守らねばならないのだぞ」

と神林東吾がいい、

「やはり、お妹様がお出来になると、お兄様はしっかりなさいますんですねえ」

るいやお吉が口をきわめて賞めてくれた。

「かわせみ」では、るいがもうかなり目立つお腹になっていて、早速、源太郎の母のお

千絵と出産のこと、赤ん坊のことなど、女同士の話がはずみ出したので、東吾が、

「久しぶりだ、源太郎と富岡八幡へ遊びに行って来るよ」

気をきかせて、源太郎を外へ連れ出した。

風のない穏やかな松の内で、永代橋の上から眺める大川には、もう春の気配が濃い。

富岡八幡の境内は初春らしく屋台が並び、掛け小屋では人形芝居が客を集めている。

皿廻しだの、南蛮手妻だのの見世物をのぞいて茶店で串団子を食べていると、

「若先生じゃございませんか」

女の子の手をひいて、人形芝居の小屋から出て来た若者が走り寄って来て挨拶をした。

永代《えいたい》の元締と呼ばれている口入れ稼業、文吾兵衛《ぶんごべえ》の息子で小文吾という威勢のいいのが子分を二人ばかりお供に連れている。というよりも、子分二人と一緒に花世の子守をしているといった恰好であった。

「とうたま」

若い男に囲まれていた花世が、いつものように派手にとびつきもせず、神妙にお辞儀をしたのは、東吾の傍に源太郎がいたからで、正月らしくおろしたての紋付に袴をはき、小さな刀をさしている源太郎にも、

「あけまして、おめでとうございます」

と挨拶をした。

で、源太郎も慌てて立ち上って、

「本年もよろしく」

と親の口真似の答礼をした。

「花世は永代の元締の所へ遊びに来ていたのか」

東吾が聞き、小文吾が、

「実は、今日、小名木川の屋敷にうかがいましたら、花世嬢さんがしょんぼりしておいでのようにみえましたんで、人形芝居でもごらんに入れようとお供をして来たんです」

という。

たしかに、東吾がみたところ、花世は元気がなかった。

「団子を食うか」

と東吾がいっても、そっと首を振る。

どっちみち、人形芝居はみてしまったあとで、これから小文吾が麻生家へ送るというので、

「それなら、俺も宗太郎に用があるから、ついでに花世を連れて行くよ。正月早々、世話をかけたな」

小文吾をねぎらってから、子供二人を伴って富岡八幡の境内を出た。

「また、お琴の稽古を怠けて、お母様に叱られたのか」

歩きながら東吾が訊いたが、花世は口をつぼめて笑ったきり返事をしない。きれいに

結い上げた髪に花かんざしが光っているのを、源太郎は不思議な気持で眺めた。ついこの間まで、猿の仔みたいにぎゃあぎゃあ喚いて、東吾の背中によじのぼったり、首っ玉にしがみついて、

「剣術のおけいこしましょ」

と叫んでいたのが嘘のように、今日の花世は大人しい。背の高さは、源太郎のほうが肩から上の分だけ大きいので、しばらく並んで歩きながら、そっと横顔を眺めると、ふっくらした頬に陽が透けて桃の実のような生毛《うぶげ》が柔らかそうであった。しかも、うつむき加減に足を運んでいる様子がなんともいじらしい。

どんなつらいことがあったのだろうと、源太郎は心配になった。

東吾が何か訊いてくれるといいと思っているのだが、あれっきり、何もいわないのがもの足りない。といって、自分が口をきくのは困難であった。第一、なんといってよいかわからなかった。

小名木川のふちを上って行くと、麻生家の裏木戸へ出る。宗太郎が患者を送り出したところで、近づいた東吾へ笑顔をむけた。

「小文吾にお会いになったのですか」

ちらと花世を眺めていった。

「富岡八幡の境内で会ってね」

「まあ、お上り下さい。ちょうど一段落したところです」

源太郎は勇気を出して、花世の父親に挨拶をした。

「あけまして、おめでとうございます」

「おめでとう。御両親もお変りなく、いい正月を迎えられたことだろうね」

「はい、おかげさまで……」

花世がびっくりしたような目で源太郎をみ、ばたばたと走って行った。

内玄関のところに、花世の母の七重が立っていて、こっちをみている。

「源太郎、麻生家の小母様にも、新年の御挨拶をしておいで……」

東吾にいわれて、源太郎は花世のあとを追って行った。

「源太郎さん、まあ、御立派になられて……」

七重に賞められて、源太郎はいい気分で勧められるままに、居間へ通った。

あとから、男二人が何やら笑いながら入って来る。

「ちょうどようございましたわ。暮に花世のと一緒に、畝様のお千代ちゃんに羽子板を買いましたの。まだお二つですから、羽根突きはなさいませんでしょうけれど、縁起物ですものね。主人に持って行って下さいって申しましたのに、来客やら何やらで、つい……」

七重が持って来たのは一尺五寸ばかりの羽子板であった。

「これは上等だな」

東吾が手にとって感心した。

「大津絵か」

「藤娘です。成駒屋そっくりでしょう」

のぞいてみて、源太郎は目を見張った。黒塗りの笠をかむった女の顔が、花世によく似ているように思えた。

「源太郎、こちらの小母様が千代に下さったのだ」

東吾にいわれて、源太郎は両手を突いてお辞儀をした。

「ありがとう存じます」

「お荷物になりますけれど、お母様に渡して下さいましね」

七重が紫の縮緬《ちりめん》の風呂敷に羽子板を包み、宗太郎が、

「花世、源太郎君と坊主めくりでもしなさい。お父様は少々、東吾さんと話があるのでね」

といって、部屋を出て行った。

花世は素直に違い棚から百人一首の札の入った桐箱を下して来て、絵入りの読み札だけを取り出し、源太郎の前においた。

七重が一度出て行って、次には木皿に黄色い色をした菓子をのせお茶と共に二人の脇に各々、おいた。

「これは、長崎のお菓子でかすていらと申すものですよ」

召し上ってごらんなさい、といわれて、源太郎は手にとった。ふわふわしているのを

おそるおそるかじってみると甘くて旨い。

「如何です」

「おいしいです」生まれてはじめて頂きました」

実際、源太郎にとっては、

「お帰りに、少しお持ち帰りになれるように包んでおきますからね」


七重が部屋を出て行き、二人の子供は坊主めくりをした。

百人一首の読み札には、その和歌の作者の絵姿が描いてある。

多くは束帯などの装束をつけた天皇や公卿であったが、髪をおすべらかしにした十二《じゅうに》単《ひとえ》の衣裳の女房や、僅かだが僧侶の姿があった。

坊主めくりは、交替に裏返しにした札をめくっていって、もし坊主が出るとそれまでの札を全部、前に出さねばならず、次にお姫様が出ると、その札をめくったものが、前においてある札を、自分のものに出来るといった単純な遊びであった。

これまでの花世は坊主が出ると顔をまっ赤にして口惜しがり、お姫様をめくると躍り上って喜んだりしたものだったが、今日は片手を左の頰に当てて、黙々と札をめくっている。

そして、その花世の脇には手をつけていないかすていらがおいてあった。別に花世の分まで取って食べようという気持はなかったが、どうしても、源太郎の視線はそのかすていらに集中する。

するとと、花世がいった。

「よかったら、これも召し上って下さい」

「いいのですか」

驚いて、源太郎はつい、大きな声を出した。

「いいのです、あたしは頂きません」

「きらいですか」

こくりと、花世が小さくうなずいて、源太郎は武士の子のつつしみを忘れた。

「それでは頂きます」

そっと木皿をひき寄せて、花世の顔をみたのは、いざとなると、

「いやです。あげません」

などといい出すのではないかと不安だったからだが、花世はつまらなさそうな表情で札を眺めている。

「頂きます。ありがとう」

いそいで、源太郎は二皿目のかすていらを平げた。こんな旨いものを、どうして花世は嫌いなのかと不思議であった。同時に花世がこよなくいい人にみえた。

小半刻ばかり坊主めくりをしていると、東吾が顔を出した。

「ぼつぼつ、帰ろう」

源太郎が花世をみ、花世は札を桐箱へしまいはじめたので、源太郎も手伝った。かす

ていらをもらってしまったお礼をいいたいと思ったが、言葉が出て来ない。

「全く、今日の花世は借りてきた猫だな」

東吾が笑い、両親と共に表玄関まで送った花世に、

「かわいそうだが、もう少しの辛抱だぞ」

といい、源太郎をうながして歩き出した。

羽子板の包みを大事に持ちながら、源太郎は考えた。

もう少しの辛抱とは、なんのことだろうと思う。だが、それを東吾に訊くのは、恥かしいような気がした。

「かわせみ」へ帰って来ると、お千絵が帰り支度をしていた。

「どうした。ついでに晩餉を食べて行かないか。源さんは、そう早くには帰れまい」

正月早々、諸方に放火があって、町方は屠蘇気分が吹きとんでいた。

江戸の町は、とにかく火事が怖しい。風の強い日に火の手が上ろうものなら、すぐに江戸の半分が燃えかねなかった。そのために町奉行所では夜廻りを強化し、放火犯人を挙げるのに必死の探索を続けている。畝源三郎も例外ではなかった。

「お千絵様は、歯がお痛みなのですって。ですから、無理におすすめしませんの」

その代り、子供達が好みそうなものをお吉が重箱につめて包んでいる。

「虫歯のようではありませんから。私、肩が凝《こ》りますとよく歯が痛みますので、今日もそれではないかと……」

お千絵がいい、

「歯の痛いのは苦しいものでございますよ。なんといっても、弁慶さんの泣きどころの一つだと申しますもの」

相変らずお吉が奇妙な慰め方をし、

「日比谷のお稲荷さんがよく効くって申しますよ。あちらは歯の痛みに霊験あらたかで、治りましたら鯖をお供えするんだそうで、鯖稲荷ともいわれているんだとか……」

自分も数年前に歯が痛み、人に教えられてお詣りに行ったところ、一日で痛みがなくなったと宣伝した。

「それじゃ、明日にも行ってみましょうかしら……」

お千絵が冗談らしく笑い、東吾がいった。

「宗太郎のところじゃ、花世が歯痛でげっそりしていたよ。あいつの歯は抜けかわる時で、宗太郎にいわせると、ちょいとやっとこでひねればあっけなく抜けるんだそうで、暮にも一本抜いてやったら、余っ程、痛かったらしくて、今度は痛いのを我慢して誰にも痛いといわないそうだ。あのおてんばが頬を押えてしょんぼりしている恰好は、なんとも可笑《おか》しいやら、かわいそうやらでね」

母の後について下駄を履きながら、源太郎は、あっと思った。

花世は歯が痛くて、かすていらも食べられなかったのかと思うと、自分だけが二切れも食べてしまって、気の毒なことをしたたと胸の内が痛んだ。

二

八丁堀の屋敷へ帰って来てからも、源太郎の脳裡からは、頰を押えて、ひたすら坊主めくりをしていた花世の情なさそうな表情が消えなかった。

しかも、東吾の話によると、花世の父親は彼女の痛む歯をやっとこで引き抜いたという。

閻魔大王ではあるまいし、そんなもので歯を抜かれては、花世がもう二度と歯が痛いといえなくなっている気持もよくわかる。なんとか、そんな乱暴な方法でなく、花世の歯の痛みを止めてやれないかと考えて、源太郎は「かわせみ」のお吉の話を思い出した。日比谷稲荷へ行ってお詣りすれば、一日で歯の痛みが消えてしまう。それなら早速、花世を連れて行ってやりたいが、源太郎には日比谷稲荷がどこにあるかもわからなかった。

あの時、母は、たしか、それなら明日にでも行ってみましょう、と答えていたのに、翌日の午《ひる》を過ぎても出かける気配がなかった。

たまりかねて、源太郎は縫い物をしている母の傍へ行った。

「母上は、もう、歯のお痛みは治ったのですか」

お千絵は針の手を止めて、左頰へ手を当てた。人にはいえないが、お千絵はこうした歯の痛みが肩こりから来ていて、夫が少々、肩を揉んでくれればすぐ治るのを知っていた。

お千絵にそれを教えたのは源三郎であり、これまでにも、歯が痛み出したといえば、必ず、夫が揉みほぐしてくれていた。けれども、このところ、夫は夜が遅かった。それは例の放火魔の探索のために江戸の町を巡回しているせいだと承知しているので、いくらなんでも、疲れて帰って来る夫に、歯が痛いから肩を揉んでくれとはいいにくい。が、そんな打ちあけ話は我が子にも聞かせられなかった。

「もし、お痛みになるのなら、日比谷稲荷へ参詣に行かれたほうがよろしくはありませんか」

源太郎がやっとの思いでいい、お千絵は目を細くした。

正直のところ、お千絵は願かけとか占いなどというものを、あまり信じてはいなかった。

しかし、幼い我が子が母の歯痛を心配していってくれたものを、むげに否定するのもかわいそうな気がした。

それに、歯の痛みは一向におさまらない。

この際、鰯の頭も信心からと思って、参詣に行って来るのも悪くあるまいと気がついて、お千絵は答えた。

「それでは、折角、お吉さんが教えて下さったことですから、お詣りに行って来ましょうか」

源太郎が目を輝かした。

「私もお供を致します」

日比谷稲荷は芝口三丁目にあるので、八丁堀からはそこそこの距離があった。

手早く身支度をし、奉公人に留守を頼んで、お千絵は源太郎と外へ出た。昨日よりも気温が上って僅かに吹きはじめた風が生暖かい。

弾正橋から京橋へ出て尾張町の通りをまっすぐ行くと芝口橋であった。

橋を渡ったところが芝口一丁目で、一休みした茶店で聞くと日比谷稲荷は芝口三丁目から一つ奥へ入った日蔭町に面していると教えられた。

そのあたりには古着屋が多く、東西は大名屋敷であった。

日比谷稲荷は敷地は狭いが、社殿のたたずまいはなかなかに立派であった。

鳥居や燈籠にそれを寄進した大名の名が彫ってある。鰐口《わにぐち》についている紅白の綱を振ってお詣りをし、歯痛封じの御札《おふだ》を頂いて母子は八丁堀へ帰った。

屋敷へ戻ると、源太郎は、

「東吾の小父様に教えて頂きたいことがありますので……」

と母にことわりをいって大いそぎで玄関を出た。東吾に事情を話し、花世を日比谷稲荷へお詣りにつれて行ってもらおうと思ったのだが、大川端の「かわせみ」へ行ってみると、

「若先生は、方月館の松浦先生がお風邪を召されたそうなので、さっき、宗太郎先生か

らお薬をおもらいになって狸穴にお出かけになりましたよ」

とお吉がいう。

「それでは、明日、また来ます」

お辞儀をしてひき返しかけたが、なんとなく本所の麻生家が気になって永代橋の袂まで来ると、むこうから花世が息を切らして走って来るのに出会った。

「とうたまの所へ行くの。お父様が花の虫歯を抜かないと、新しい歯が生えて来ないからとおっしゃって……」

泣きそうな声で訴えられて、源太郎は緊張した。

「東吾の小父様は狸穴の方月館へいらっしゃってお留守です。でも、わたしがいい所へ連れて行ってあげます」

「いい所……」

「歯の痛みを封じる御札を頂くのです。今日、お母様もそこへお詣りに行って来ました」

「花も、そこへ行きたいです」

「いいです。行きましょう」

源太郎が歩き出すと、花世がついて来た。時々、背後をふりむくのは、誰かが追って来るのではないかと心配しているらしい。

八丁堀を走り抜け、さっき、母と渡ったばかりの弾正橋の袂で一息ついた。

あたりはもうたそがれて来ている。

風がやや強くなっていたが、南風で気温はそれほど低くない。

尾張町の通りでは、商家は早や早やと大戸を下しはじめていた。天水桶に水を足している所もある。

源太郎も花世も知らなかったが、昨夜、赤坂のほうで放火があり、夜廻りが気づいて周辺の家々を叩き起して消火につとめたが、それでも十軒余りが灰になった。

そうしたことが瓦版にも出、町奉行所から町々に火の用心のお達しが廻ったせいであった。

芝口橋で夜になり、源太郎と花世は必死になって日比谷稲荷までたどりついた。

その時になって、源太郎は自分が一文の銭も持っていないことに気がついた。花世は、と見ると、拝殿にむかって小さな手を合せてしきりにぶつぶついっている。

止むなく、源太郎は社務所へかけて行った。

「申しわけありません。あそこでお詣りをしている子が歯が痛いのです。御札を頂きたいのですが、お賽銭を忘れて来ました。明日、必ず、お届けに来ますので、歯痛封じの御札を下さい」

山羊鬚の神官が源太郎を眺めた。

「あんたは、今日、親御さんとお詣りに来ただろう」

「そうです。母も歯が痛かったのです。あの子も痛がっています」

「左様か」

山羊鬚が歯の欠けた口で笑った。

「先程、親御様より過分の奉納があった。あの子の護符はただにして進ぜよう」

「ありがとうございます」

三方から折りたたんだ護符を取り出し、山羊鬚が源太郎に訊いた。

「あの子の名前は……」

「花世です」

指で書いて教えた。

「妹か」

「友達です」

「ほう」

筆を取って、護符に花世の名を書き、丁寧に折った。

「これでよい。これを朝晩、おがむようにいいなさい。それから、歯の痛みがなくなったら、鯖を神様にお供えするのだぞ」

「はい、母上の分と、二匹、持って来ます」

御札をもらって花世の傍へ行った。

「これで、すぐ痛みがなくなるから……」

二つ折りにして花世の帯の内へはさんでやった。

手をつないで、鳥居をくぐって去る二人の子を山羊鬚の神官は可笑《おか》しそうに見送って、やおら立ち上ると拝殿の扉を閉めるために階《きざはし》を上って行った。

三

芝口橋のところまで来ると、花世が立ち止った。

「花は、これから、とうたまの所へ行きます」

源太郎は驚いた。

「東吾の小父様は、狸穴ですよ」

「屋敷へ帰ると、お父様が花の歯を抜きます」

「しかし、痛まなければ……」

「痛くなくても、ぐらぐらしているから抜かなければいけませんって……」

やっとこを連想して、源太郎は唾を飲み込んだ。

「狸穴は遠いでしょう」

「ここからは遠くありません。花は前に、とうたまに連れて行ってもらいましたから、よく知っています」

花世が狸穴の方月館を知っているというのは、源太郎にとって、いささか不快であった。

しかし、本所の屋敷へ帰れば、やっとこで歯を抜かれるというのであれば、狸穴へ行って東吾に救いを求める他はないと思い、源太郎はいった。

「それでは、わたしも一緒に行ってあげましょう」

花世が嬉しそうに頭を下げたので、源太郎は少しばかり得意であった。

町並みに沿って歩き出して暫くの間は人通りが少いながらもあった。

二人の子供の知らないことだったが、そこは芝口西側町であり、二条町から幸橋御門の前を通って兼房町、伏見町、善右衛門町、鍛冶町、太左衛門町、久保町と続いたあとは武家屋敷になる。

町屋がある中《うち》は、それなりにまだ店を開けているところもあり、通行人の姿がみえて、正月のことだからどことなく賑やかに歌ったり騒いだりしている声が聞えていた。けれども大名屋敷が続く虎之御門界隈になると人も通らなければ、灯影も見えない。

町屋を歩いている時から、花世の足が次第に遅くなって行き、あたりが闇になって、全く途方に暮れていることに源太郎は気がついた。

改めて考えてみると、花世が東吾に方月館へ連れて行ってもらったことがあるといっても、おそらく駕籠に乗ってか、東吾の背中におぶわれてのことに違いない。まして、今は夜道であった。

遠くにかすかな灯がみえて、源太郎はそっちへ向った。近づいてみると、それは番屋であった。

決心して源太郎は番屋の入口の戸を少し開いた。「かわせみ」の嘉助ぐらいの年寄が炉にむかって酒を飲んでいた。戸口からのぞいた少年に不思議そうな目を向ける。

「少々、お訊ね申します。狸穴へ参るにはどのように行けばよいでしょうか」

「狸穴か……」

立って戸口まで来た。

「この道をまっすぐ行って、突き当ったら右のほうへ行く。そうすると町屋になるから、その辺りで教えてもらうといい」

まだ、だいぶあるがなあと呟いた声が酒臭かった。

礼をいって、源太郎は花世の手をひき、いわれた道へ向ったが、その付近も武家屋敷らしくひっそりとしている。

道の暗さには、もう目が馴れていた。風はいよいよ強くなって、花世は源太郎にしがみつくようにして歩いていた。天上に月も星もなく、行く手には闇が広がっている。

源太郎にしても、怖しくないことはなかった。今にも闇の中から怪物が現われそうな気がする。

それでも、源太郎は足をふみしめ、ふみしめて歩いた。狸穴へ着くまでの辛抱だと思った。方月館へたどりついたら、東吾の小父様は、どんなに賞めて下さるだろう。こんな遠くまでよく来たとおっしゃって、団子とか饅頭とか……。突然、源太郎は空腹を感じた。

本当なら、とっくに夜の御膳を頂いている時刻だと思う。

どのくらい歩いたのか、花世が立ち止った。

どうした、と訊く間もなく、しゃがみ込んで、声を上げて泣きはじめた。

花世がこんな泣き方をするのを、源太郎ははじめて見た。これだから女の子は困ると思う。泣いたところで、どうなるものでもない。けれども、泣き出した花世の気持がわからぬでもなかった。疲れ切って、お腹がすいて、心細くて……。

仕方がないので、源太郎は花世の傍にしゃがみ込み、背中を撫でてやった。

ひとしきり泣くと、花世は袂で涙を拭いて立ち上った。花世も亦、泣いていても仕方がないと考えたようである。

足をひきずりながら歩いて行くと、お寺の塀の尽きたところに、番屋があった。あそこで道を訊こうと近づいて戸口を開けると、若い男が火に当っていた。ぎょっとしたようにふりむいたのが、

「なんだ、手前らは……」

という。

「狸穴は……」

といいかけて、源太郎は花世がべったりすわり込んだのに気がついた。

「申しわけありませんが、少し、休ませて下さい」

「なんだっていいが、そこを閉めてくれよ。風が入ってたまらねえや」

源太郎は花世の肩を抱くようにして番屋へ入り、重い戸を閉めた。

花世を炉の傍へ連れて行き、板敷きの上にすわらせた。そこに、おんぼろながら座布団があったからだが、まがりなりにも座布団がおいてあったのはそこだけで、男は土間の縁台に腰をかけている。

「お前ら、親に叱られて家出でもして来たのか」

男が源太郎と花世を眺めていった。

「ちっこいのに、刀なんぞさして……、お前は寺小姓かい」

男のいう意味がわからず、源太郎は黙っていた。花世のほうは口をきく元気もなさそうである。

「なんだか、子供芝居《しべえ》の道行きみてえだな」

一人で笑って茶碗を取り上げた。傍に徳利がおいてあるところをみると、茶碗の中身は酒らしい。

少し人心地がついて、源太郎は焦げくさい臭いに気がついた。炉のふちに鉄串にさした餅がいくつか並んでいる。

「餅がこげています」

思わずいうと、男が笑った。

「食いたけりゃ食ってもいいぞ」

「よろしいのですか」

「どうせ、俺のじゃねえんだ」

どういう意味かと迷ったが、隣で花世が生唾を飲み込む音がして、源太郎はいった。

「頂くか」

「頂きます」

かすれた返事が戻って来て、源太郎は焼けている餅へ手をのばした。熱い。懐中から手拭を出して、それで餅を取り、串から抜いた。

焦げたところを手拭で払い、

「熱いから、気をつけて……」

と花世に渡す。嬉しそうに花世が食べはじめ、源太郎は薄暗い中を見廻して、土瓶と茶碗が炉の近くにあるのをみつけた。

「これを、頂いてもいいですか」

男に訊くと、

「かまわねえさ」

面倒くさそうな返事であった。

なにかおかしいと思いながら、土瓶の蓋を取って匂いを嗅いだ。ごく当り前の番茶の香がする。茶碗に注いで、念のため自分が一口飲んでから、花世に渡した。

「お前は食わねえのか」

眺めていたらしい男が、両手を膝においてすわっている源太郎に訊いた。

「わたくしは、けっこうです」

日頃、母親から、侍の子は知らない所ではものを頂いても食べてもいけません、といわれている。

花世がいった。

「源太郎さんも召し上って下さい。そうでないと、花が頂けません」

もう、餅を一つ食べてしまっているのにといってやりたいのを我慢して、源太郎は更に一つ、餅を取ってやり、自分も別の一個を手にして食べた。やせ我慢も限界であった。

餅を食べ終ると、花世は源太郎に寄りかかって眠りはじめた。

こんな所で寝てしまっては狸穴へ着けないではないかと腹の中で呟きながら、源太郎も外へ出て行く気にはなれなかった。

風が格子戸にひどい音を立てている、その音にまじって、奥の部屋で物のぶつかるような気配があった。酒を飲んでいた男が、きっとしてそっちをみる。

「誰か、いるのですか」

障子の閉っている奥へ顔をむけて、源太郎が訊いたが、

「なに、猫だろうよ」

男はまた、酒を飲みはじめた。

花世の頭を膝の上にのせたまま、源太郎は風の音を聞いていたが、やがて、うとうとしはじめた。

どのくらい、そうしていたのか。

なにかの物音で、源太郎は目をさました。

炉の火のあかるさでみると、男の姿が消えていた。今の物音は男が出て行ったものだとわかって、源太郎は花世の体を押しのけて立ち上った。

入口の戸を開けてみると、闇の中に提灯が一つ、遠くなって行く。

何かおかしいと源太郎は思った。

番屋の親父にしては若い男の着ているものが違った。それに、もし、番屋の者が夜廻りに出たのなら、拍子木の音が聞える筈である。

無意識に源太郎は外へ出た。生まれた時から八丁堀の組屋敷に育ち、始終、定廻りの父や東吾の話に耳をすませていたことが、源太郎に犯罪の匂いを嗅ぎつける本能を育てていたのかも知れない。

夜の中を、風がうなり声を上げていた。

かなり遠い提灯の灯を追って源太郎が走り出そうとすると、花世がその手につかまった。源太郎に押しのけられて目をさまし、おいて行かれると思ったらしい。

花世に事情を説明しようとして、源太郎は前方にみえていた灯がなくなったのを知った。

どこか、横丁へ入ったに違いない。

「さっきの男、悪い奴のような気がする」

「悪い奴……」

「わからないが……」

遥かむこうが急に明るくなった。

「あれは、なんだろう」

「火事ですか」

源太郎が、あっと声を上げた。もしかすると、火つけか、と気づいた。

二人はいっせいにそっちの方向へ走り出した。

若い男が炎の近くに立っていた。くるりと背を向けて走り出す。その前に、源太郎が立ちふさがった。

「待て……」

男が闇を透かすようにして立ち止った。

「なんだ、手前……」

突きとばそうとした男の手を、源太郎はかいくぐった。

花世が叫んだ。

「泥棒……泥棒……泥棒が火をつけました」

男が花世を捕えようとし、源太郎は男に体当りした。地面にころがりはね起きて刀を抜いた。目の前に男の顔がある。夢中で、東吾に教えられたように刀をふり下した。

そのあとのことを、源太郎は全くおぼえていない。

四

東吾は方月館に泊っていた。

方斎の風邪はもう治りかけていたのだが、正吉やおとせがなんとなく心細げであり、また、風がひどいので、

「こんな夜は、また、放火があるんじゃないかと思うと、おちおち寝てもいられません」

と善助が不安そうにいったことも、東吾の足を止める理由になった。

方斎はこのところ、足が弱くなっている。

もし、火事の場合、老師を安全な所へ移すには、おとせと善助では心もとない。

飯倉のほうが火事らしいとわかったのは、夜廻りの拍子木が聞えて間もなくであった。

様子をみに出かけて行った善助がかけ戻って来て、

「仙五郎親分が、その……畝様の若様が放火の下手人を捕えたとか……」

「畝の若様……」

まさか源太郎ではあるまいと思いながら、東吾は善助と共に方月館をとび出した。

火事はもう、おさまっているという。

榎坂をかけ下り、飯倉三丁目の四つ辻へ出ると、その先の番屋の戸が開いていて、外に立っていた仙五郎の所の若い者が、

「若先生がおみえンなりました」

大声で叫んだ。

「源太郎がいるのか。いったい……」

番屋の敷居をまたいだ東吾に、

「先生……」

「とうたま」

二人の子供がしがみつき、東吾は両手で二人を抱きかかえた。

「どうしたんだ、二人とも……いったい、何があった……」

仙五郎が涙声でいった。

「大手柄でござんす。源太郎坊ちゃんが放火の現場に来合せて、手向って来た下手人をお斬りなさった……」

「なんだと……」

「御立派でござんす、流石《さすが》、畝の旦那の若様だ。しかし、火事場で花世様をみつけた時にゃ、あっしは自分の目がおかしくなっちまったのかと……」

あっけにとられている東吾の所へ、町役人《ちようやくにん》だの、町の世話役だの、火消しだのが次々と挨拶に来た。

東吾がおおよその事情を源太郎の口から聞き出したのは、二人の子供を方月館へ連れて帰ってからであった。

「そういうことでしたら、麻生様でも畝の旦那のお屋敷でも、どれほど御心配になっているかわかりません。あっしが一走り、お知らせ申して参ります」

律義な仙五郎が早速、方月館をとび出して行き、二人の子供はおとせが沸かした五右衛門風呂であたたまり、正吉の小さくなった着物を着せられて夜具に入ると、すぐ眠ってしまった。

「源太郎さんは、花世さんが歯を抜かれるのがかわいそうだと思って、必死で若先生の所へ連れて来ようとなさったんですね」

二人の子の寝顔を眺めて、おとせがいい、東吾は苦笑した。

おそらく、花世が強引に自分の意思を主張し、人のいい源太郎が断りもならずについて来たのに違いないと思う。

「この連中のやることには肝を冷やされるよ」

仙五郎の話によると、火事だというのでかけつけて行ったところ、顔を斬られた男が町内の若い衆に取り押えられて居り、その傍に源太郎が花世を抱くようにして立っていたという。

「お二人が御無事で本当にようございました」

おとせが心からいい、東吾に湯に入ることを勧めた。

「折角、焚きましたのですから、温まってお休みなさいませ」

だが、東吾は仙五郎が戻って来るまで起きているといった。

「源さんも宗太郎も、さぞかし心配して探し廻っているのじゃないかと思うと落着かないんだ」

かまわないから寝てくれといい、土間の囲炉裏の前へ腰をすえると、おとせが卵酒を作って来た。

「お風邪をひかれるといけませんから……」

おそらく仙五郎が戻って来るのは朝になってからだろうと思いながら、卵酒をすすっていると、どやどやと足音がして仙五郎を先頭に畝源三郎と麻生宗太郎が入口の戸を開けて入って来た。

「いい具合に、神谷町のところでお目にかかりましたんで……」

仙五郎がいい、東吾は黙って次の間の障子をそっと開けた。

行燈の灯影で眠っている二人の子の顔を二人の父親は暫くみつめている。

「もう、いいだろう。おとせが酒の用意をしてくれたよ」

東吾が声をかけ、男達は肩から力を抜いた恰好で囲炉裏端に車座になった。

「どうも油断もすきもならない連中ですよ」

宗太郎が茶碗酒に口をつけながらいった。

「我が家では、花世が家を出て行ったのに、誰も気がつかなかったのです」

夕方、患者を診《み》終った宗太郎が母屋へ来て、はじめて花世の姿がないとわかった。

「七重は、てっきり、手前の傍にいると思い込んでいたのです」

それでも、花世の行く先は「かわせみ」と決っているようなものなので、それほど驚きはしなかった。

「慌てたのは、かわせみへ行って、来ていないと知ってからです」

そこへ、お千絵が源太郎を迎えに来た。お千絵は源太郎が東吾に学習をみてもらいに行っていると信じていた。

「源さんの奥方の話を聞いている中《うち》に、これはと思いましてね」

お千絵は昨日、「かわせみ」でお吉から日比谷稲荷のことを聞き、今日、源太郎と一緒に参詣に行って来た。

「花世は奥歯がぐらぐらなのです。この前、一本抜いてやったので、今度もわたしが抜いてやることになっていたのですが……」

東吾が笑った。

「源太郎がいっていたよ。花世のお父様がやっとこで歯を抜くというので、花世が怖がっていたと……」

「やっとこじゃありません。医療で使う、小さなとげぬきのようなもので……第一、花世の歯は糸をからげてひっぱったって、もう抜けるような状態ですから……」

「嘉助が永代橋の橋番から、源太郎と花世さんが八丁堀のほうへ行くのをみたと聞いて来ましてね」

畝源三郎が、おとせの作った握り飯をつまみながら口をはさんだ。

「手前が、屋敷へ戻って来ると、ちょうど、宗太郎どのがわが家の女房と来られて、もしかすると源太郎が花世さんを日比谷稲荷へ連れて行ったのではないかといわれる。で、手前が宗太郎どのと日比谷稲荷へ向いました」

日比谷稲荷の本殿は扉が閉っていたが、社務所で訊ねると、たしかに、その年頃の男の子と女の子が来て、歯痛封じの護符をもらって行ったという。

「護符に書いた名前が花世というので、これは間違いないと喜んだのですが……」

さて、そこから二人がどっちに行ったのか、

「おそらく、道に迷ったのだろうと源さんもいいますし、手前も、よもや、狸穴の東吾さんの所へ向ったとは思いませんでした」

躍起になって、芝口一丁目から二、三丁目、源助町、露月町、柴井町、宇田川町、神明町、浜松町としらみつぶしに訊ね廻って、金杉橋まで行ってみたが、全く、それらしい二人をみたという者がなかった。

「それから、増上寺の周辺を訊ねましてね」

その時に神谷町のほうが火事だという話を聞いたが、源三郎にしたところで、まさか、その火事場に源太郎がいるとは思わない。

「すぐに鎮火したというので、それから愛宕《あたご》下の大名小路の中を二人の名前を呼びながら走りました」

大名小路から兼房町へ出て夜廻りの男が、宵の口に廻った時に、たしかにそういう二

人連れの子がこの道をまっすぐに行ったといわれ、遂に虎之御門の近くの番屋で、二人の足取りを摑んだ。

「番太郎が、狸穴へ行くにはどっちかと訊かれたといいまして、これは、もしかすると東吾さんが方月館へ行っているのではないかと気がつきました。それで、まっしぐらに神谷町へさしかかって……」

いい具合に仙五郎と鉢合せになった。

「どうも、源太郎が馬鹿な真似をしでかしたようで……」

改めて源三郎が父親の顔で頭を下げ、宗太郎が手をふった。

「いやいや、花世が源太郎君に無理をいったのに違いありません。あいつの無鉄砲は筋金入りですから……」

「源さんも宗太郎も、二人の子を叱らないでやってくれ。源太郎は放火の下手人に気がついて、我を忘れてむかって行ったんだ」

東吾の言葉に、仙五郎もいった。

「全くでさあ、並みの子なら、火つけをみたらすくんじまって声も出せねえところです。畝の旦那の坊ちゃんなればこそ……」

源三郎が東吾にいった。

「そのことは、どうか東吾さんから叱って下さい。身の程もわきまえず、竜車に向う蟷《とう》螂《ろう》の斧が、どんな結果になるのか。生兵法は怪我のもとだと、しっかり教えてやって下さい」

東吾が頭を下げた。

「全くだ。源さん、俺はあいつに剣術を教えたが、その前に教えるべきことを失念していたようだ」

源三郎が慌てた。

「そういう意味ではありません。源太郎が一番、素直にいうことをきくのは東吾さんだからですよ」

宗太郎がおとせに糸を少しくれといっているのに気がついて、東吾と源三郎は話をやめた。どうするのかとみていると、おとせからもらった絹糸を適当に切り、それを持って次の間の障子を開ける。

花世は、口を開けて寝ていた。

宗太郎がくすりと笑った。

「多分、こうだろうと思いましてね」

素早く娘の口の中へ手を入れて、器用に歯に糸をからげた。

「おい」

東吾が低声《こごえ》で呼んだ。

「まさか、抜くんじゃあるまいな」

「鬼の寝てる間に、ですよ」

「目をさますぞ」

「多分、さましませんよ」

ひょいと手をひいた。

糸の先に小さな歯がついている。花世は、もごもごと寝言をいい、そのまま、寝返りを打って、小さな鼾をかき出した。

「この通りです」

四人の男が口を押えて笑い出し、何事かと台所にいたおとせが顔を出した。

障子の外がうす明るくなり、雀の声が聞えはじめている。

その時になって、東吾は気がついた。

「おい、麻生家と畝家へは、知らせたのか。二人がこっちへ来ちまって……」

宗太郎が娘の小さな歯を懐紙に包みながら答えた。

「東吾さんも苦労性ですね。仙五郎が若い奴を使にやってくれましたから、御心配なく」

この歯は下の奥歯だから、本所の麻生家へ帰ったら、屋根へ放り上げるのだという。

「昔から申すでしょう。下の歯は上へ投げよ、上の歯は縁の下へ捨てよ。そうすると新しい歯がまっすぐに威勢よく生えて来る……」

味噌汁を運んで来たおとせが目を丸くした。

「お医者さまでも、そんなことをおっしゃいますの」

再び、笑いが上ったが、次の間の二人の子供はまるで目をさまさない。

鶏鳴がしきりにして、方月館に朝陽がさして来た。

源太郎に顔面を斬られた放火の下手人は、六本木の地主の悴《せがれ》で芳助という者だとわかった。

「子供の頃から変り者で、友達もなく、親とも滅多に口をきかねえって奴でして……」

七草の日に、飯倉から仙五郎が「かわせみ」へやって来て報告した。

「近所の娘にちょっかいを出して、そこの親にえらくどなられて、それ以来、どうもむしゃくしゃすると、他人の家に火をつけたくなるというんで、どうにもこうにも始末に負えません」

源太郎と花世が芳助と会った番屋では、奥の部屋に番太郎が縛られ、手拭で猿ぐつわを噛まされていた。

「芳助の奴、番太郎に酒を飲ませ、話相手をさせながら夜の更けるのを待っていたらしいんですが、何が気にさわったのか、番太郎をなぐりつけ、縛っちまって隣の部屋へ放り込み、一人で酒を飲んでいたというんですが、そんな狂い犬みてえなのが、よく、源太郎坊ちゃんや花世お嬢さんに手出しをしなかったものだと、考えてみりゃ冷汗が出ます」

仙五郎の話を聞いていたお吉がいった。

「そりゃ、手が出せない筈でございますよ。花世ちゃんの懐には日比谷稲荷様の御札が入っていたんですから……」

「ですが、あれは歯痛の神さまで……」

きょとんとした仙五郎に、お吉がまくし立てた。

「歯痛封じはいわば商売の片手間なんですよ。お稲荷さんってのは稲の神さま、お米の神様でしょうが。お米が豊作になるためには雨が降らなけりゃいけません……だから、水の神様ってことですよ。水の神様がついてりゃ、火つけの下手人なんて、手も足も出せやしませんて……」

賑やかな笑い声の中で、東吾はそっと、かなり大きくなっている女房の腹のあたりを眺めた。

間もなく生まれて来る子は、男なのか女なのか。

どっちにしても、親となるのはえらいことだと思いながら、やっぱり、生まれて来る日が待ち遠しい。

縁側には、仙五郎が飯倉からかついで来たという真新しい盥《たらい》がおいてある。

仙五郎が帰っても、お吉がそれを片付けないので、東吾は台所へ行くついでにと手に取った。

「それ、どこへお持ちになりますの」

るいにいわれて、

「洗濯盥だろう。井戸端へおいてやろうか」

と答えたとたん、

「いけません。それは赤ちゃんの産湯のために、仙五郎親分が作って来てくれたんですから……」

赤ん坊は暫くの間、盥でお湯をつかわせるのだといわれて、東吾は苦笑した。

「かわせみ」のてんやわんやの日は目前に迫っている。

そして、畝源三郎の屋敷では、源太郎が、妹のお千代にと麻生家からもらって来た藤娘の羽子板を眺めてためいきをついていた。どうみても源太郎の目には藤娘の顔が花世に似て見える。それが幼い恋心だとは源太郎自身まだわからないでいる。

立春大吉《りっしゅんだいきち》

一

大川端の旅籠「かわせみ」に威勢のいい産ぶ声が響き渡ったのは、立春の日の朝であった。

知らせを受けて本所から麻生宗太郎がかけつけて来た時には、その昔、東吾も厄介をかけたという八丁堀の産婆が熟達した手ぎわで赤ん坊を取り上げ、産湯をすませていた。

「初産にしては、勝負が早かったですね」

産婦と赤ん坊の様子をみ、お吉に持参した薬を煎じるよう頼んでから、宗太郎は居間にぽつんとすわっている東吾の所へやって来た。

「おめでとう。安産でなによりでしたね」

赤ん坊との対面はすまされたそうで、といわれて、東吾は苦笑した。

「俺に似ていると産婆までがいいやがるんだ」

「女の子は父親に似るといいますよ」

「やっぱり、女か」

「産婆さんは、教えてくれなかったんですか」

「そういわれれば、そう聞いたような気もするが……」

「流石《さすが》の東吾さんも逆上してますな」

宗太郎に伴われた恰好で、産室になっている離れへ行った。

赤ん坊は、るいの隣に敷かれた真新しい布団に寝かされていて、嘉助とお吉が裾のほうから嬉しそうに眺めていたが、入って来た東吾をみると、両手を突いた。

「若先生、おめでとう存じます」

「ありがとう。心配をかけたが、るいのおかげで、やっと俺も親父になれたよ」

東吾が日本一の笑顔をみせ、お吉はもう泣きそうになっている。

るいが枕許にすわった東吾をふり仰いだ。

「御兄様にお知らせして下さいまし。あの、女の子で申しわけございませんが……」

「なにをいっている。女の子のどこが申しわけないんだ」

東吾がるいの手を取り、宗太郎がいった。

「左様、一姫二太郎というのが世間の相場です」

お吉に薬湯を持って来させ、るいに勧めると東吾にいった。

「さあ、東吾さんは八丁堀へ行って下さい。おるいさんはゆっくり眠らせなければいけませんからね」

部屋を追い出されて、東吾は外出支度をし、嘉助に見送られて「かわせみ」を出た。

八丁堀の兄の屋敷へ寄ると、うまい具合に通之進は出仕するところで、弟の顔をみるなり、

「生まれたのか」

と訊く。兄の声がはずんでいると思いながら、

「女の子でしたが……」

と答えると、

「母子共に変りはなかろうな」

「はあ、宗太郎が太鼓判を押してくれました」

「それはよかった。めでたい、吉日に大吉が重なったのう」

通之進の喜びの表情にはいささかの翳もなく、東吾は内心、ほっとした。

武士の家ではとりわけ男児の出生を願うもので、まして神林家は今のところ、跡取りがいない。それだけに兄としても、弟嫁が男の子を産んでくれたらと願っているに違いないと東吾は推量していたのだが、兄の様子に落胆した気配は微塵もなかった。

通之進が奉行所へ行くのを見送ってから東吾は同じ八丁堀の畝源三郎の屋敷へ寄った。

源三郎はもう奉行所へ出かけた後だったが、妻のお千絵は大層、喜んでくれて、るい

の落着いた時刻を見計って祝いと見舞に行くという。

「東吾様は、これから……」

と訊かれて、

「講武所へ行きます。子供が生まれたからといって休むわけにも参りませんからね」

笑いながら組屋敷を出た。

講武所では、いつも通りに稽古をつけたが、どうも父親になったという実感が湧いて来ない。子供が誕生したことは、誰にも話さなかった。そうした内輪話を知らせねばならないほど昵懇《じっこん》の知人もいないし、照れくささのほうが先に立った。

帰りがけに足をのばして深川へ行ったのは、長寿庵の長助の家をめざしたので、この人のよい、忠義者の岡っ引とは喜びをわかち合いたいと思ったからである。

ところが、長寿庵へ行ってみると、

「うちの人は、只今、かわせみのお屋敷のほうへお祝いに参って居ります。大層、可愛らしいお姫様だそうで……」

と長助の女房に挨拶された。ともかくもお入り下さいと長助の悴夫婦《せがれ》までが出て来て、店へ一歩踏み込んだところに、

「若先生、こいつはいい時に帰って来ました」

長助が背後から声をかけた。

「祝いに行ってくれたそうだな。俺は、親父になったことを喜んでもらおうと、講武所

の帰りに寄ったんだ」

「もったいねえ、わざわざお知らせ下さろうとお出かけ下すったんでござんすか。ありがてえことで……」

まあまあと店の奥の座敷へ通されて、早速、酒が運ばれる。

「おめでとうございます。さぞかし、お嬉しゅうございましょう」

長助一家に祝いをいわれて、東吾は盃を上げ、頭を下げた。

「ありがとう。正直のところ、嬉しさがまだ実感にならないんだ」

「殿方はどなたもそのようでございますよ。でも、もうちょっとしますと、それこそ目に入れても痛くないほど可愛らしくおなりになります」

長助の女房がいい、悴夫婦と板場へ戻って行った。

「只今、あられ蕎麦でも作らせますんで、どうか温まってお帰りなさいまし。お屋敷じゃ畝の旦那の御新造さんがおみえなすって、盛んに子育ての講釈をなすっておいでございましたから……」

「下手に帰ると邪魔にされるな」

東吾が笑い、長助はぼんのくぼに手をやりながら板場へあられ蕎麦をいいつけに行った。

気がついてみると、東吾は空腹であった。

夜明け頃からるいの陣痛が始まって、朝飼はお吉が用意してくれたものの、どこへ食べたかわからない状態だったし、講武所では、東吾の稽古は人気があって次から次へと門弟が行列して稽古をつけてもらうといった有様で、東吾自身も決して手抜きをしないから、いつも午餉を摂る時間がなくなる。

普段は終ってから持参の弁当を開いたり、近くの蕎麦屋へ寄ったりしていたが、今日は流石《さすが》のお吉も弁当まで手が廻らなかったようだし、東吾にしてからが午餉を食べることすら、うっかり忘れていた。

で、長助が運んで来た卵焼や鉄火味噌で酒を飲みながら蕎麦の出来るのを待っていると、店のすみのほうに幼い女の子がすわっていて、長助の女房が商売物ではない小どんぶりに煮込みうどんのようなものをよそって食べさせているのに気がついた。

女の子はせいぜい二つか三つか、その年で一人で蕎麦屋の暖簾をくぐるとは思えないが、連れはいない。

酒の相手をしてくれている長助にお酌をしてもらって、

「あの子は、なんだ。どうかしたのか」

と訊くと、

「お目にとまりましたか」

長助が困ったような表情をみせた。

「おせんと申しまして、今年三つになるんですが、両親はこの先の長屋に住んで居りまして……父親のほうは宮大工で、まあ、親方と一緒にあっちこっちのお寺さんの建物の修理だの建て直しだのに出かけていまして、とかく留守がちでございます」

仕事先が常陸や上総、下総のほうが多いらしくて、一度出かけると、一月《ひとつき》や二月《ふたつき》は帰って来られない。

「すると、母親が病んででもいるのか」

東吾がいい、長助が右手を横に振った。

「そいつが……とんだ博打好きでござんして……」

「宮大工の女房が、手なぐさみをするのか」

「あっしも、うちの嬶もしょっちゅう意見をして居りますが、亭主は一年の中《うち》、数えるほどしか家に居りません。どっちかといえば、内気で近所づきあいの上手なほうじゃございません。時には寂しくもなるんでございましょうか」

「しかし、折角、亭主が汗水流して働いた金を博打で失《な》くしてしまっては……」

「それが……けっこう腕がいいと申しますか、運が強いっていうんですか、滅多に負けませんようで……」

素人がたちの悪い賭博場へ出入りするのは剣呑だと、長助は永代の元締と呼ばれている文吾兵衛に頼んで、

「賭場にいいも悪いもございませんが、まあ、永代の元締の息のかかっている所だけにするよう申しきかせましたんですが、僅かながら元手《もとで》を増やしているそうです……」

という。

「博打で稼いでいるのか」

「そういうことなんで……根が好きなんでしょうか、熱が入ると一日帰って来ませんで、あんな小せえ子が腹をすかせて待っているってのに、そういうことはきれいさっぱり忘れちまうのか、勝負のほうが大事だと思うのか……なんにしても子供を放ってもおけませんので、時々、見に行っては飯を食わしたり、火の用心を見張ったりして居ります」

「長助も面倒みがいいな」

「毎日、嬶にどなられてまさあ。どこの世界に岡っ引が素人に博打場の世話をする奴があるかっていわれますと、全くどうもその通りで……」

亀の子のように首をすくめた長助をみて、思わず、東吾も笑い出した。

たしかにお上は博打を禁止しているが、世の中には杓子定規でおさまらないものが多くある。ただ、やってはならぬと大上段にお触れをふりかざすよりも、当人の分に応じて、火傷をしない程度に遊べる安全な場所を教えてやり、それとなく見張るというのは、如何にも長助らしいし、その結果、母親が賭場で稼いでいる間、一人ぽっちにされている幼子の面倒をみなければならなくなったというのも、少からず可笑《おか》しい。

それにしても、まだ親の手を借りずにはまともに飯も食えないような年頃の子供を放りっぱなしにして、博打に熱中している若い母親の気持が東吾にはよくわからなかった。

「お初って申しますんですが、その母親も考えてみればかわいそうな育ち方をして居ります。八つかそこらで母親が男とかけおちしまして、十三で父親に死なれました。それからずっと永代門前の商家で奉公して、まず、家族の温《あった》かみとは無縁でございましたろうから、どんなにぐれても仕方のないところを、まあ、まがりなりにも堅気の世帯が持てましたんで……」

そうなったのは、おそらく長助をはじめとする町内の人々の情があったからだろうと東吾は納得し、あられ蕎麦を御馳走になって大川端の「かわせみ」へ帰った。

二

東吾とるいの間に誕生した女児の名前は、東吾はるいと相談して、あらかじめ兄の通之進に名付親を頼んでいた。

弟に頭を下げられて、通之進は、

「わしでよいのか」

と二度もいったが、表情はひどく満足そうであった。

その兄は、一度だけ「かわせみ」に赤ん坊の顔をみにやって来て、その後は、

「わしが行くと、るいが気を使うからな」

と、もっぱら妻の香苗を見舞わせ、自分はその報告を聞いては喜んでいるらしい。

明日はお七夜という日に、兄夫婦は揃って「かわせみ」へやって来た。

白木の台には奉書を三つ折りにした命名書が載って居り、別にお宮参り用の産着にでんでん太鼓を添えたのを納めた小さな長持が運び込まれた。

「東吾に頼まれてから、随分と考えた。立春のめでたい日に誕生した故、千度も幸せな春を迎えるようにと願って千春、とつけた。気に入ってくれるとよいが……」

兄の言葉に、るいが丁寧に頭を下げ、東吾は奉書を開いた。通之進の見事な筆蹟《て》で、千春、と書かれている。

「これは、いい名前を頂きました。きっと聡明な美人になります。なにしろ、みながそれがしに似ていると申しますので……」

東吾が大声でいい、いつもなら、

「この親馬鹿が……」

と叱る筈の兄が、笑いながらうなずいている。

るいと赤ん坊の寝ている離れから、居間へ移り、祝い膳の盃を形ばかり受け、やがて兄夫婦は帰って行った。それを見送って東吾が離れへ行くと、るいが、命名書を赤ん坊の枕許に置き直していた。

「よいお名前でございますね」

東吾をみて微笑したのが、いつも以上にあでやかで美しく、女とは赤ん坊を産むとこんなにきれいになるものかと、東吾は恋女房の顔を眺めて、いい気分であった。

「兄上も御満悦だったよ。酒はともかく、お吉の運んで来るものを、旨い、旨いとみんな召し上られた」

「それはよろしゅうございました。でも……」

と声を低くして、るいが夫を見上げた。

「義姉《あね》上様は、お寂しいお気持ではなかったでしょうか」

長年、子の出来ない兄嫁であった。弟夫婦に女の子だが誕生して、とり残されたような虚しさを感じられたのではないかと、るいは女だけに気を廻している。

「義姉上はおおらかなお人だからな」

およそ、他人の幸せをねたむという人柄ではないが、たしかにるいがいうような孤独感はあったかも知れないと東吾も思った。

「義姉上は世話好きなんだ。もう、雛人形の心づもりをしておいでだったよ」

三月が来れば初節句であった。

「俺は、どうせ頂けるのなら、千春が嫁入りする時、持って行けるようなのを頂きたいと申し上げたが……」

「千春の嫁入り……」

るいが目を細めた。

「随分と、先のことを……」

「嫁にやるにせよ、聟をとるにせよ、こいつは我が家の総領娘だからな」

ひとしきり親馬鹿な気分にひたり切って、やがて東吾は居間へ戻った。

嘉助が来たのは、晩餉が終ったあとで、

「申しわけございませんが、宿帳をごらん頂けましょうか」

すまなさそうに廊下にかしこまる。

「内儀《かみ》さんのやっていたことが、俺につとまるかな」

こっちへ入ってくれ、といい、東吾は宿帳を受け取った。

「厄介そうな客がいるのか」

「左様なことはございません。本日、お着きになりましたのは、馬喰町の藤屋さんからの御紹介で女の方ばかり八人様でございます。皆さん、善光寺さんの御開帳について江戸見物に来られたという御隠居と、そのお供の女中衆で……」

宿帳をみると、四人が六十代の老女で、いずれも善光寺門前に住む富商か近在の大百姓の隠居のようであった。老年ということもあって、一人が一人ずつ召使いの女中を連れている。その女中達の年齢も四十すぎで、これは長年奉公した褒美に江戸見物のお供を命ぜられたようであった。

いずれにせよ、藤屋が紹介してくるからには、身許もしっかりしているし、問題になるような客ではない。

「内儀さんのお産の所へ、大勢の客で大変だが、まあ、よろしく頼む」

東吾が宿帳を返し、嘉助は笑顔でお辞儀をして下って行った。

早春の日は穏やかに過ぎ、最初はぎこちなかった赤ん坊の乳の飲み方も馴れて来て、裏の物干場には、お吉がちょっと濡れるとすぐ取り替えるのだと自慢する襁褓《むつき》が盛大に洗い上げられて陽を浴びている。

「いいお嬢様でございますよ。夜泣きもなさいませんし、お乳の飲み方も御立派でございます」

朝から晩まで赤ん坊自慢を続けているし、二日おきぐらいにるいと赤ん坊の様子をみに来てくれる麻生宗太郎も、赤ん坊の成長ぶりを賞めた。

「俗に小さく産んで大きく育てろと申すのですよ。あまり大きく育ってからのお産となると、母親に負担がかかります。ほどほどの大きさで生まれて来て、すくすくと育つのが理想的なのです」

などと講釈を聞かせられ「かわせみ」のみんなは、ほいほいと喜んでいる。

そんな或る日、講武所から帰って来た東吾が帳場で嘉助と世間ばなしをしていると、二階から女が下りて来た。

「こりゃあ、お民さん、なにか御用でございますか」

嘉助が声をかけ、お民と呼ばれた女は遠慮がちに板の間へ手を突いた。

こざっぱりした木綿物の着物に、綿入れの半天を着、その上から前掛をしている恰好をみて、東吾はすぐ善光寺の御開帳について来た女隠居のお供の女中の一人だとわかった。

女隠居達は毎日のように江戸見物に出歩いているが、お供の女中は交替で一人が残り、洗濯物などを片付けているというのは、お吉から聞いていた。

時刻からすると、今日はこのお民がその当番なのだろうと思う。

前掛の上へ戻した手は四十すぎの年齢相応に荒れて脂気がなかった。

「つかぬことをお訊ね申しますが、深川佐賀町に長寿庵という蕎麦屋がございましたが、今も変りはございませんか」

嘉助がちらと東吾をみ、穏やかに答えた。

「お前さまは長寿庵を御存じで……」

「あちらの旦那は……たしか長助様とおっしゃいましたが……お達者でおいでてございましょうね」

「息災ですよ」

女の言葉づかいで東吾も嘉助も、江戸生れの江戸育ちだったろうと気がついていた。

嘉助がそのことを訊くと、女は恥かしそうにうなだれた。

「二十年ぶりのお江戸でございます」

蚊の鳴くような返事であった。

「あんた、長助に用があるんじゃないのか」

はかの行かない女の話に、みかねて東吾が口をはさんだ。

「二十年の歳月で道がわからないというなら、ここの若いのをつけてやるが……」

女が蒼ざめた。

「いえ、道はおぼえて居ります。ですが、出来ますことなら、深川界隈に自分の顔をさらしたくございませんので……」

「そうすると、長助に、ここへ来てもらいてえのか」

「それでは、あまり申しわけなくて……」

「いいってことよ。あいつと俺は友達なんだ。今から使いをやって呼んでやるよ」

手を叩いて若い衆に声をかけた。

女は途方に暮れたように東吾をみつめている。若い衆がとび出して行き、嘉助が女にいった。

「長助親分が来なすったら、声をかけるから、それまで、部屋にいなさるがいい」

礼をいって二階へ女が去り、嘉助が東吾にいった。

「どうも事情がありそうですが、若先生にはお心当りが……」

「なんにもないよ」

ただ、あの女は昔、水商売をしていたんじゃないかと東吾はいった。

「芸者じゃなかろう。料理屋の仲居か。その頃、女郎をしていたにしちゃあ、年をくいすぎているだろう」

二十年前に江戸を出たとすると、二十五、六にはなっていたと思われた。

「長助が源さんの用で出かけていねえといいがな」

と東吾は心配したが、やがて、るいの枕許で午餉のあとのお茶を飲んでいると、お吉が、

「なんですか、長助親分が、若先生に……」

と呼びに来た。

帳場へ行ってみると、女の姿はなく長助が嘉助と鼻を突き合せるようにして話し込んでいる。

「いったい、あの女、なんだったんだ」

東吾に声をかけられて、

「若先生、あれが、いつぞや、お話し申しましたお初の母親でございますよ」

という。

「お初の母親……」

「左様で……この前、若先生があっしの所でごらんになったおせんって子の母親がお初でして……」

おぼつかない手つきでうどんをすすっていた三つの子の姿が瞼に浮んで、東吾はあっといった。

「すると、博打狂いの母親か」

「へえ、それがお初で、こちらの二階に居りますのが、お初の母親のお民で……」

「男とかけおちしたといったな」

「深川の小料理屋の女中をして居りました。相手は木場人足で長次郎と申しました」

最初からお話し申しますといって、長助がすわり直した。

お民にはその頃、吉兵衛という亭主がいて、夫婦の間に娘のお初が生まれていた。

「吉兵衛ってのが叩き大工でして、根はいい奴なんですが、博打が好きでして、お民が女中をしていたのも、亭主の稼ぎじゃ食っていけねえからでございます」

ひさご屋という小料理屋で働いている中《うち》に長次郎といい仲になり、それを亭主に知られて、危く刃傷沙汰になりかけた。

「あっしもまだ若い時分で、女房をぶっ殺すという吉兵衛を押えつけ、頭に上った血が下るまで番屋へ連れて行って説教したんですが、お民はその晩、家へ戻って来ませんで、朝になってから、長次郎とかけおちしたってことがわかりました」

一応、町役人《ちようやくにん》が鳶頭に頼んで若い衆を追手にさしむけたが、これは体裁だけのことで、

「まあ、吉兵衛にも非がございますし、子供のことも考えまして、さわぎを大きくせず、なんとかお民が戻って来るといいと、あてにならねえ神頼みをしていましたが、結局、それっきりでした」

五年後に父親が病死し、娘のお初は奉公に出た。

「お民ってのは、二十年間、音信不通だったのか」

東吾の言葉に、長助が顔をしかめた。

「当人の申しますには、無筆だったし、どっちみち、とっくに吉兵衛が後添えをもらったろうと思っていたんだそうでして……」

「今まで、どこで、どうしていたんだ」

「長次郎って奴が信濃者で、その在所が善光寺さんの近くだとか。お民の話ですと、長次郎は力仕事でやとわれ、お民は商家へ奉公したりなんぞして、七、八年前からは門前町で餅や土産物を売って暮していたと申します」

二年前に長次郎が山仕事にやとわれて行き、遭難して死んだ。

「お民のほうは、以前、奉公していた商家で隠居の身の廻りの世話をする者が欲しいというので、店を閉めてそっちへ移りまして、幸い、隠居に気に入られて、今度の江戸見物のお供を命じられたってことのようです」

黙って聞いていた嘉助がいった。

「それで、お民さんは、娘に会いたいとでもいうのかね」

長助が苦笑した。

「いくらなんでも、そこまで虫のいいことは口に出来ねえと思いますが、内心では、どうでござんしょうか。あっしには、娘がその後どうしていたかを聞きてえようで、一応、亭主のこと、おせんという娘がいることなんぞを教えてやりましたが……」

親子の対面を取り計ってやるとは長助もいわず、お民も頼みはしなかった。

「当人が是非にというようでしたら、なんとか骨を折るつもりでは居りますが……」

思案顔で長助が深川へ帰り、そのあと、東吾はるいとお吉にその話をした。

「そりゃあ無理な話でございますよ」

といったのは、お吉で、

「いくら母子《おやこ》だって、かけおちした母親に娘がいい気持でお帰りなさいというわけがありません。まして、お民って人は、この先、だんだん年をとる。娘にとっちゃあ重い荷物をしょい込むわけでございましょう。大金持ならまだしも、その日暮しにそんな余裕はございませんよ。宮大工の御亭主だっていい顔はしないでしょうし……」

その通りだと思いながら、つい、東吾はいった。

「だがね、母親が一緒に住むようになれば、三つの子の面倒はみてくれるだろう。お初も安心して博打で金を稼げるんじゃないのか」

るいが目を丸くした。

「お初さんという人は、博打でお金を稼いでいるんですか」

「長助親分の話だと、けっこう腕はいいそうだ。運が強いというのか、亭主の稼ぎを博打でふやしているつもりらしいよ」

「ろくなことになりませんよ。昔っから、博打で家を建てた人はないそうですから……」

お初の博打好きは父親ゆずりかも知れないと東吾は考えていた。

「この節、娘の厄介になろうなんて思わないほうが身のためですよ。お民さんって人だって、まだまだ働ける年なんですから、せい一杯、御奉公してお金を貯めて年をとったら、その金で暮すくらいに覚悟をしておかないと……。いってみれば自分の播いた種子《たね》でそうなったんですし、身から出た錆なんですから」

お吉が切って捨てるようにいい、東吾は二の句が継げなくなった。

他人事によけいな口出しはするまい、と決めていた東吾だったが、月の終りが近づいて、或る日、嘉助が、

三

「お民さんのことですが、長助親分がだいぶ気に病んで居りまして、昨日も、このまま、信州へ帰らせちまっていいだろうかと申して居りましたが……」

浮かない顔で相談した。

「母子を対面させるってことか……」

「それよりも、お初さんに母親が江戸へ来ているのを黙っていてよいものかということじゃございませんか」

「お民は自分から娘に会いに行く様子はないのかな」

「無理でございましょう。こういうことは誰かが間に立ってやらなければ……」

「お民は、いつまで江戸にいるんだ」

「月末には信州へ帰る筈でございます」

善光寺の御開帳はまだ続いているが、最初に寺の宝物と一緒に江戸へ出て来た世話役は今月一杯で帰国するので、その交替の人々がもう信州を発ったというようなことを、女隠居達が話していたと嘉助はいった。

「最初に来た世話役さんと共に、うちにお泊りの方々もお帰りなさるとのことで……」

「もう、あまり日がないな」

「長助親分は人がようございますから、自分が骨を折らなかったばっかりに、折角、母親と娘が元の鞘におさまったかも知れないものを、永《なが》の別れにしてしまうのではないかと心を痛めているようで、そういわれると手前もこのままでよいのかと心配になって参りました」

江戸と信州であった。

決して近くはない道のりであるし、お民の年齢や奉公人という立場を思うと、再び江戸へ出て来る機会があるものかどうか。

長助のことを人がよいといいながら、嘉助も、けっこう気になって仕方がないらしい。

結局、東吾は翌日、深川へ出かけた。

長助は留守だったが、たまたま店に来ていた長助の下っ引の三次というのを案内に立てて、お初母子の住む長屋へ行ってみると、四畳半一部屋きりのところに小さな火鉢が一つ、その上でお初が餅を焼いておせんに食べさせている。

なんと話し出したものかと思案しながら、上りかまちのところに顔を出すと、

「おや、若先生、うちになにか御用ですか」

とお初がいった。

「俺を知っているのか」

いささか機先を制せられた恰好で訊くと、

「深川で若先生を知らないなんて奴はもぐりですよ」

と笑っている。

「おかけなさいまし」

と一枚きりりらしい座布団を出されて、東吾は狭い上りかまちに腰を下した。

「あんた、文吾兵衛のところに出入りしているそうだな」

これですか、とお初が賭場の壺をふる素振《そぶり》をした。

「今、帰って来たところですよ」

「勝ったのか」

「ほんのちょっぴりですけどね」

けっこう嬉しそうな顔をした。

「野暮をいうつもりはないが、その子のことを考えて、なるべく家で出来る仕事をしたほうがいい。針仕事とか、手内職とか……」

お初が首をすくめた。

「あいにく、女のくせに手先が不器用で、浴衣一枚縫えませんのさ。なにしろ、お袋がちゃんと仕込んでくれませんでしたのでね」

「おっ母さんを怨んでいるのか」

「いいえ、悪いのはお父つぁん、というよりお父つぁんがのめり込んだ博打のせいですから……」

「だったら、博打の怖さは知っているだろう。あんた達の家族をばらばらにしちまった博打に、なんで、あんたまでが手を出すんだ」

乾いた声で、お初が笑った。

「敵討ですよ」

「なんだと……」

「お父つぁんの敵を討っているんです」

焼けた餅をふうふう吹きながら千切って娘の口へ入れてやっている。

「本音をいえば好きなんですよ。面白くてたまらない。建前は敵討……いけませんか」

東吾は黙って、手土産に買って来た饅頭の包を下へおいた。

「俺の家が大川端のかわせみって宿だってことは知ってるな。そこにあんたのおっ母さんが泊っているんだ。俺が来たのは、そいつをあんたの耳に入れるためだ」

お初が口を開くまでに僅かだが間があった。

「おっ母さん、なんだって若先生のところにいるんですか」

「善光寺の御開帳について、信州の善男善女が江戸へ出て来たのさ。あんたのおっ母さんは金持の女隠居に奉公していてね、そのお供でついて来たのさ」

「それじゃ、その御隠居さんのお供をして信州へ帰るんですね」

「まあ、そうだろうな」

「いつ、帰るんですか」

「月末だよ」

もし、会う気になったら、かわせみへ訪ねて来てくれ、と東吾はいった。

「おっ母さんは何もいわないが、あんたに会いたがっているのは間違いない。あんたをおいて出て行った手前、自分からは会いに来られないんだろう。あんたも一人で来るのが嫌ならば長寿庵へ声をかけろ。長助親分はなにもかも知っている。喜んで、あんたをかわせみに連れて行くさ」

お初が新しい餅を火鉢の上の金網にのせるのをみて、東吾は腰を上げた。

外へ出ると、三次の待っていた場所に長助がいた。東吾が歩き出すと、いそいでついて来る。

「聞えたか」

そっと東吾がいった。

「あれで、長助も気がすんだろう」

あいすいません。

ほっとしている調子であった。

「お初のほうから、会いに行きますかね」

「そいつはわからないが……知らせるだけは知らせたんだ」

長助が大きく合点した。

「そういうことで……」

「あとは当人の気持次第だな」

「左様でございます」

長寿庵の手前で東吾は長助と別れ、まっしぐらに「かわせみ」へ帰った。

嘉助にだけは事情を話して、もし、お初が訪ねて来たら、お民を呼んでやるようにといい、

「参りますでしょうか」

嘉助も大いに期待したのだが、お初は「かわせみ」に現われなかった。

そして、「かわせみ」に泊っていた女隠居達が信州へ発つという前の晩に、がっかりした顔の長助がやって来た。

「お初の奴が、今日、店へ参りまして、御親切に声をかけて下さったが、自分と母親の縁は、とっくに切れていると思うし、今更、会っても母親にいう言葉もみつからない。自分は亭主も子供も出来て、まともに暮しているから心配しないでくれ、おっ母さんも善光寺さんの近くで暮していれば、極楽往生疑いなしだろうから、せいぜい体に気をつけて長生きをするようにといってくれ、と、まあ、こんなことをべらべらと申しまして、さっさと帰っちまいました」

追いかけて長屋へ行ってみると、小さい娘が一人で留守番をしていて、お初は大方、賭場へでも出かけたものと知れた。

「もう、どうしようもねえと思いまして……」

情なさそうな長助の様子に、東吾は肩を叩いた。

「そりゃあもう、しようがねえさ。これ以上、他人の出る幕はねえんだ」

翌朝、藤屋のほうへ泊っていた世話人達が迎えに来て、四人の女隠居は各々の女中と共に「かわせみ」を出立した。

お民は最後まで何もいわず、ただ見送りに出た嘉助とお吉に丁寧に挨拶をし、主人の荷物を背負って一行の後について行った。

それから十日、小雨の中を畝源三郎と長助が「かわせみ」へ立ち寄った。

「東吾さんも御存じの、お初の子供で、おせんというのが、どうも人さらいに連れて行かれたようなのです」

昨日の夕方、母親のお初は例によって賭場へ出かけて居り、おせんは長屋の前のお稲荷さんのところで一人遊びをしていたらしい。

「若い男が、おせんの手をひいて歩いて行くのを、酒屋の小僧がみているのですが、おせんが嬉しそうに、きゃっきゃっと笑っていたので、まさか人さらいとは思わなかったと申しています」

それっきり、おせんを連れた若い男の目撃者は居らず、夜になって帰宅した母親がおせんを探しに長寿庵へ来てから、大さわぎとなった。

「長助が若い者を指図して走り廻ったのですが、今のところ、手がかりはまるでありません」

本所深川は今年になって三人、幼い女の子が行方知れずになっていると源三郎はいった。

「おせんをさらったのも、同じ下手人かとも思いますが、とりあえず、お知らせしておきます」

目をくぼませている長助を「かわせみ」へおいて、源三郎は雨の中を走り去った。

「なんてことですか」

聞いていたお吉が目をつり上げて怒った。

「だから、いわないことじゃありませんよ。母親が賭場に入りびたって、小さい子を一人にしておくから、こういう破目になるんです。若先生や長助親分が口をきいて下さった時に、お民さんと対面して、一緒に暮すようにしていれば、人さらいにつけ込まれることもなかったでしょうに……」

年をとった母親は娘にとってはお荷物だの、かけおちした母親に、娘がいい気持でお帰りなさいといえるわけがないなぞとお民を非難したのを忘れた顔でいう。

「お初は、どうしている」

と東吾が聞き、長助が舌打ちした。

「今日はお不動さんへ行って、娘が帰って来るよう、護摩《ごま》を焚いてもらっていますが……」

宮大工の亭主は、来月にならないと江戸へは帰って来ない。

「無事に、みつかってくれるとようございますが……」

お吉が運んで来た茶碗酒を飲み、長助は疲れ切った足どりで帰って行った。

それ以来、おせんの行方は杳《よう》として知れず、お初は毎日、お不動様へはだし詣りをして娘の無事を祈っているらしい。

「昼間は、そうやって神妙に母親らしいことをやっているんですが、夜は賭場へ入りびたりでして、元締のところの子分衆の話では、それがあきれかえるほど付きまくっているそうで、かなりの金がお初の懐にころげこんでいるとか……」

長助が顔をくしゃくしゃにして東吾にいいつけた。

お初母子の話を、東吾は床上げをすませたばかりのるいに話さなかった。

誕生して一カ月、千春はまるまると肥えて、ずっしりと重くなった。

おかげで、るいもお吉も長くは抱いていられない。

「こんなにでっかくなりやがって、いいのかい。宗太郎の奴、なんにもいってなかったか」

女房に訊きながら、東吾は飽きもせず、千春を腕の中に入れて、おそるおそるゆすっている。

新米の父親の抱き方が気に入らないのか、千春が急に大声で泣き出して、お吉が襁褓をつかんでころがるように廊下を走って来た。

初出　「オール讀物」平成8年7月号〜9年2月号
単行本　平成9年6月　文藝春秋刊

文春文庫

源太郎《げんたろう》の初恋《はつこい》　御宿《おんやど》かわせみ23

定価はカバーに
表示してあります

2000年5月10日　第1刷
2023年6月30日　第15刷

著　者　平岩弓枝《ひらいわゆみえ》
発行者　大沼貴之
発行所　株式会社 文藝春秋

東京都千代田区紀尾井町 3-23　〒102-8008
TEL　03・3265・1211㈹
文藝春秋ホームページ　http://www.bunshun.co.jp

落丁、乱丁本は、お手数ですが小社製作部宛お送り下さい。送料小社負担でお取替致します。

印刷製本・凸版印刷　Printed in Japan
ISBN978-4-16-716872-8

文春文庫　平岩弓枝の本

（　）内は解説者。品切の節はご容赦下さい。

平岩弓枝
鏨師《たがねし》
無銘の古刀に名匠の偽銘を切る鏨師と、それを見破る刀剣鑑定家。火花を散らす厳しい世界をしっとりと描いた直木賞受賞作「鏨師」のほか、芸の世界に材を得た初期短篇集。（伊東昌輝）
ひ-1-109

平岩弓枝
秋色
（上下）

有名建築家と京都の名家出身の妻、この華麗なる夫婦の実態は……。シドニー、麻布、銀座、奈良、京都、伊豆山と舞台を移して、華やかに、時におそろしく展開される人間模様。

ひ-1-126

平岩弓枝
花影の花
大石内蔵助の妻
大石内蔵助の妻の視点から描いた平岩弓枝版忠臣蔵。華々しく散った夫の陰で、期待に押しつぶされる息子とひたむきに生きた妻。家族小説の名手による感涙作。吉川英治文学賞受賞作。
ひ-1-129

平岩弓枝
御宿かわせみ
「初春の客」「花冷え」「卯の花匂う」「秋の蛍」「倉の中」「師走の客」「江戸は雪」「玉屋の紅」の全八篇を収録。江戸大川端の小さな旅籠「かわせみ」を舞台とした人情捕物帳シリーズ第一弾。

ひ-1-201

平岩弓枝
江戸の子守唄
御宿かわせみ2
表題作ほか、「お役者松」「迷子石」「幼なじみ」「宵節句」「ほととぎす啼く」「七夕の客」「王子の滝」の全八篇を収録。四季の風物を背景に、下町情緒ゆたかに繰りひろげられる人気捕物帳。
ひ-1-202

平岩弓枝
水郷から来た女
御宿かわせみ3
表題作ほか、「秋の七福神」「江戸の初春」「湯の宿」「桐の花散る」「風鈴が切れた」「女がひとり」「夏の夜ばなし」「女主人殺人事件」の全九篇。旅籠の女主人るいと恋人で剣の達人・東吾の活躍。
ひ-1-203

平岩弓枝
山茶花《さざんか》は見た
御宿かわせみ4
表題作ほか、「女難剣難」「江戸の怪猫」「鴉を飼う女」「鬼女」「ぼてふり安」「人は見かけに」「夕涼み殺人事件」の全八篇。女主人るい、恋人の東吾とその親友・畝源三郎が江戸の悪にいどむ。
ひ-1-204

（　）内は解説者。品切の節はご容赦下さい。

平岩弓枝
幽霊殺し
御宿かわせみ5
表題作ほか、「恋ふたたび」「奥女中の死」「川のほとり」「源三郎の恋」「秋色佃島」「三つ橋渡った」の全七篇。江戸の風物と人情、そして、「かわせみ」の女主人るいと恋人の東吾の色模様も描く。
ひ-1-205

平岩弓枝
狐の嫁入り
御宿かわせみ6
表題作ほか、「師走の月」「迎春忍川」「梅一輪」「千鳥が啼いた」「子はかすがい」の全六篇を収録。美人で涙もろい女主人るい、恋人の東吾、幼なじみの同心・畝源三郎の名トリオの活躍。
ひ-1-206

平岩弓枝
酸漿《ほおずき》は殺しの口笛
御宿かわせみ7
表題作ほか、「春色大川端」「玉菊燈籠の女」「能役者、清大夫」「冬の月」「雪の朝」の全六篇を収録。おなじみの人物を縦横に活躍させて、江戸の風物と人情を豊かにうたいあげる。
ひ-1-207

平岩弓枝
白萩屋敷の月
御宿かわせみ8
表題作ほか、天野宗太郎が初登場する「美男の医者」「恋娘」「絵馬の文字」「水戸の梅」「持参嫁」「幽霊亭の女」「藤屋の火事」の全八篇。ご存じ〝かわせみ〟の面々が大活躍する人情捕物帳。
ひ-1-208

平岩弓枝
一両二分の女
御宿かわせみ9
表題作ほか、「むかし昔の」「黄菊白菊」「猫屋敷の怪」「藍染川」「美人の女中」「白藤検校の娘」「川越から来た女」の全八篇。江戸の四季を背景に、人間模様を情緒豊かに描く人気シリーズ。
ひ-1-209

平岩弓枝
閻魔まいり
御宿かわせみ10
表題作ほか、「蛍沢の怨霊」「金魚の怪」「露月町・白菊蕎麦」「源三郎祝言」「橋づくし」「星の降る夜」「蜘蛛の糸」の全八篇収録。小さな旅籠を舞台にした、江戸情緒あふれる人情捕物帳。
ひ-1-210

平岩弓枝
二十六夜待《にじゅうろくやまち》の殺人
御宿かわせみ11
表題作ほか、「神霊師・於とね」「女同士」「牡丹屋敷の人々」「源三郎子守歌」「犬の話」「虫の音」「錦秋中仙道」の全八篇。今日も〝かわせみ〟の人々の推理が冴えわたる好評シリーズ。
ひ-1-211

平岩弓枝
夜鴉《よがらす》おきん
御宿かわせみ12

江戸に押込み強盗が続発、「かわせみ」へ届けられた三味線流しおきんの結び文が解決の糸口となる。他に名品と評判の「岸和田の姫」「息子」「源太郎誕生」など全八篇の大好評シリーズ。

ひ-1-212

平岩弓枝
鬼の面
御宿かわせみ13

節分の日の殺人、現場から鬼の面をつけた男が逃げて行った。表題作の他「麻布の秋」「忠三郎転生」「春の寺」など全七篇。大川端の御宿「かわせみ」の面々による人情捕物帳。（山本容朗）

ひ-1-213

平岩弓枝
神かくし
御宿かわせみ14

神田界隈で女の行方知れずが続出する。神かくしはとかく色恋のつじつまあわせに使われるというが……東吾の勘がまたも冴える。御宿「かわせみ」の面々がおくる人情捕物帳全八篇。

ひ-1-214

平岩弓枝
恋文心中
御宿かわせみ15

大名家の御後室が恋文を盗まれ脅される。八丁堀育ちの血が騒ぎ、東吾がまたひと肌脱ぐも……。表題作ほか、るいと東吾が晴れて夫婦となる「祝言」「雪女郎」「わかれ橋」など全八篇収録。

ひ-1-215

平岩弓枝
八丁堀の湯屋
御宿かわせみ16

八丁堀の湯屋には女湯にも刀掛がある、という八丁堀七不思議の一つが悲劇を招く。表題作ほか、「ひゆたらり」「びいどろ正月」「煙草屋小町」など全八篇。大好評の人情捕物帳シリーズ。

ひ-1-216

平岩弓枝
雨月
御宿かわせみ17

生き別れの兄を探す男が、「かわせみ」の軒先で雨宿りをしていた。兄弟は再会を果たすも、雨の十三夜に……。表題作ほか「尾花茶屋の娘」「春の鬼」「百千鳥の琴」など全八篇を収録。

ひ-1-217

平岩弓枝
秘曲
御宿かわせみ18

能楽師・鷺流宗家に伝わる一子相伝の秘曲を継承した美少女に魔の手が迫る。事件は解決をみるも、自分の隠し子らしき男児が現われ、東吾は動揺する。「かわせみ」ファン必読の一冊！

ひ-1-218

（　）内は解説者。品切の節はご容赦下さい。

平岩弓枝
かくれんぼ
御宿かわせみ19

品川にあるお屋敷の庭でかくれんぼをしていた源太郎と花世は隣家に迷い込み、人殺しを目撃する。事件の背後には——。表題作ほか「マンドラゴラ奇聞」「江戸の節分」など全八篇収録。

ひ-1-219

平岩弓枝
お吉《きち》の茶碗
御宿かわせみ20

「かわせみ」の女中頭お吉が、大売り出しの骨董屋から古物を一箱買い込んできた。やがて店の主が殺され、東吾はお吉の買物の中身から事件解決の糸口を見出す。表題作ほか全八篇。

ひ-1-220

平岩弓枝
犬張子の謎
御宿かわせみ21

花見の道すがら、るいが買った犬張子には秘められた仔細があった。玩具職人の、孫に向けた情愛が心を打つ表題作ほか「独楽と羽子板」「鯉魚の仇討」「富貴蘭の殺人」など全八篇収録。

ひ-1-221

平岩弓枝
清姫おりょう
御宿かわせみ22

宿屋を狙った連続盗難事件の陰に、江戸で評判の祈禱師、清姫稲荷のおりょうの姿がちらつく。果してその正体は？　「横浜から出て来た男」「穴八幡の虫封じ」「猿若町の殺人」など全八篇。

ひ-1-222

平岩弓枝
源太郎の初恋
御宿かわせみ23

七歳になった初春、源太郎が花世の歯痛を治そうとして巻き込まれたのは放火事件だった——。表題作ほか、東吾とるいに待望の長子・千春誕生の顚末を描いた「立春大吉」など全八篇収録。

ひ-1-223

平岩弓枝
春の高瀬舟
御宿かわせみ24

江戸で屈指の米屋の主人が高瀬舟で江戸に戻る途上、変死した。懐中にあった百両もの大金から下手人を推理する東吾の活躍を描く表題作ほか、「二軒茶屋の女」「紅葉散る」など全八篇。

ひ-1-224

平岩弓枝
宝船まつり
御宿かわせみ25

宝船祭で幼児がさらわれた。時を同じくして「かわせみ」に逗留していた名主の嫁が失踪。事件の背後には二十年前の同様の子さらいが……。表題作ほか「冬鳥の恋」「大力お石」など全八篇。

ひ-1-225

（　）内は解説者。品切の節はご容赦下さい。

平岩弓枝
長助の女房
御宿かわせみ26
長寿庵の長助がお上から褒賞を受けた。町内あげてのお祭騒ぎの中、一人店番の女房おえい。が、おえいの目の前で事件が。表題作ほか「千手観音の謎」「嫁入り舟」「唐獅子の産着」など全八篇。
ひ-1-226

平岩弓枝
横浜慕情
御宿かわせみ27
横浜で、悪質な美人局《つつもたせ》に身ぐるみ剝がれたイギリス人船員のために、一肌脱いだ東吾だが、相手の女は意外にも……。異国情緒あふれる表題作ほか「浦島の妙薬」「橋姫づくし」など全八篇。
ひ-1-227

平岩弓枝
佐助の牡丹
御宿かわせみ28
富岡八幡宮恒例の牡丹市で持ち上がった時ならぬ騒動。果して一位になった花はすり替えられたのか？　表題作ほか「江戸の植木市」「水売り文三」「あちゃという娘」など全八篇収録。
ひ-1-228

平岩弓枝
初春弁才船
御宿かわせみ29
新酒を積んで江戸に向かった荷船が消息を絶つ。「かわせみ」の人々が心配する中、その船頭の息子は……。表題作ほか、「宮戸川の夕景」「丑の刻まいり」「メキシコ銀貨」など全七篇。
ひ-1-229

平岩弓枝
鬼女の花摘み
御宿かわせみ30
花火見物の夜、麻太郎と源太郎の名コンビは、腹をすかせた幼い姉弟に出会う。二人は母親の情人から虐待を受けていた。表題作他「白鷺城の月」「初春夢づくし」「招き猫」など全七篇。
ひ-1-230

平岩弓枝
江戸の精霊流し
御宿かわせみ31
「かわせみ」に新しくやって来た年増の女中おつまの生き方と精霊流しの哀感が胸に迫る表題作ほか、「夜鷹そばや五郎八」「野老沢の肝っ玉おっ母あ」「昼顔の咲く家」など全八篇収録。
ひ-1-231

平岩弓枝
十三歳の仲人
御宿かわせみ32
女中頭お吉の秘蔵っ子、働き者のお石の縁談に涙する「かわせみ」の人々。覚悟を決めたお石は意中の人と結ばれるのか。表題作ほか、「成田詣での旅」「代々木野の金魚まつり」など全八篇。
ひ-1-232

（　）内は解説者。品切の節はご容赦下さい。

平岩弓枝
小判商人
御宿かわせみ33
日米間の不平等な通貨の流通を利用して、闇の両替で私腹を肥やす小判商人。その犯罪を追って東吾や源三郎、麻太郎や源太郎が活躍する表題作ほか、幕末に揺れる江戸を描く全七篇を収録。
ひ-1-233

平岩弓枝
浮かれ黄蝶
御宿かわせみ34
麻生家に通う途中で見かけた新内流しの娘の視線に、思惑を量りかねる麻太郎だが……。表題作ほか、「捨てられた娘」「清水屋の人々」など「江戸のかわせみ」の掉尾を飾る全八篇。
ひ-1-234

平岩弓枝
新・御宿かわせみ
時は移り明治の初年。幕末の混乱は「かわせみ」にも降り懸かる。次代を背負う若者たちは悲しみを胸に抱えながらも、激動の時代を確かに歩み出す。大河小説第二部、堂々のスタート。
ひ-1-235

平岩弓枝
華族夫人の忘れもの
新・御宿かわせみ2
「かわせみ」に逗留する華族夫人の蝶子は、思いのほか気さくな人柄。しかし、常客の案内で、築地居留地で賭事に興じて、るいの留守を預かる千春を心配させる。表題作ほか全六篇を収録。
ひ-1-236

平岩弓枝
花世の立春
新・御宿かわせみ3
「立春に結婚しましょう」——七日後に急に祝言を上げる決意をした花世と源太郎はてんてこ舞いだが、周囲の温かな支援で無事祝言を上げる。若き二人の門出を描く表題作ほか六篇。
ひ-1-237

平岩弓枝
蘭陵王の恋
新・御宿かわせみ4
麻太郎の留学時代の友人・清野凜太郎登場！　凜太郎は御所に仕える楽人であった。凜太郎と千春は互いに思いを募らせていく。表題作ほか「麻太郎の友人」「姨捨山幻想」など全七篇。
ひ-1-238

平岩弓枝
千春の婚礼
新・御宿かわせみ5
婚礼の日の朝、千春の頰を伝う涙の理由を兄・麻太郎は摑みかねていた。表題作ほか、「宇治川屋の姉妹」「とりかえばや診療所」「殿様は色好み」「新しい旅立ち」の全五篇を収録。
ひ-1-239